硅谷日记

新冠笼罩下的百日历程

冬凯

壹嘉出版
旧金山，2021

ISBN: 978-1-949736-3-42
Library of Congress Control Number: 2021918795

出版人：刘雁

版式设计：壹嘉出版

封面设计：高岚

插图、书法及封面题字：冬凯（署名者除外）

出版：壹嘉出版/1 Plus Publishing & Consulting
定价：US$ 27.99
美国 · 旧金山 · 2021
电话：1（510）320-8437
email: 1plus@1plusbooks.com
http://www.1plusbooks.com

目录

contents

硅谷日记（1）2020.2.29.

病毒这么快就逼近了，实在是我始料未及的。

原来我想，隔着那么大一个太平洋，就算进来的人带来病毒，毕竟是“可防可控”的。前一段时间，看上去确实如此。听说前几天有一位从国外来旅游的，有了症状后主动报告，很快就治愈了。再后来从武汉撤侨回来的，从钻石公主号游轮上接回来的，都是政府集中安排隔离。地方政府拒绝接纳，对联邦政府提起诉讼，经法庭裁定，只好安排在军事基地隔离，据说伙食还挺好的。

新冠病毒成了人们饭后茶余的谈资，但很多人还是像我一样，没把它当回事，总觉得离自己还很远。国际旅行都取消了，但日常生活没有受到任何影响，股票市场也没有任何的风吹草动。

慢慢地，新闻里不断报道更多的人被感染。机场对入境人员测体温；但后来说，这样的方法会漏掉很多病毒携带者。后来有公务员吹哨说，政府工作人员去接从钻石公主号回来的人的时候，没有采取自我保护措施。原来，“防控”之网有比飞机还大的洞，而病毒却比蚂蚁还小。

到了上星期，风云突变。先是加州戴维斯大学医院收治了一个病人，报告给国家CDC，人家还不给做检验，说是不符合什么条件，四天后终于给做了检验，结果是阳性。更为可怕的是，查不出该病人的接触史，所以定为community spread。唉，这下严重了。加州又宣布，在对8400个人进行监测（monitor）。

一石激起了千层浪。公司宣布更严格的旅行限制。股票市场一天接一天下跌。本来把竞选连任的希望都寄托在股市的总统，不厌其烦地告诉民众保持镇静。修长城的钱一分都不愿给总统的国会，一定要给85亿美元用于抗疫，虽然总统只申请了25亿。

不管总统怎么说，老百姓都坐不住了。先是抢购口罩，最近更是抢购生活必需品，人们都在做应急准备。附近一个学校，一位家长有接触史，在家自我隔离已经十天了，另一位家长报告了学校，学校核实后把这家的两兄弟送回家了。附近UC Davis一个学生有症状，学校把同宿舍的两个学生都隔离了。这些学校还在深度打扫卫生（deep cleaning）。

情况越来越严重。昨天，一位没有明确接触史的老年妇女检测阳性，入住了El Camino医院，离我们村不到十公里。我们所在的Santa Clara County不到两百万人口，已经有四人检测阳性。今天，西雅图一位五十多岁的男性患者去世，是美国第一位由于新冠肺炎去世的人，也没有明确的接触史。

显然，传染源已经在美国潜入到社区了。

这下，我也不淡定了。昨天晚上去Bikram Yoga，我想可能是一段时间里的最后一次了。今天去理了发，怕以后去理发店风险太高。外面的天气那么好，阳光灿烂，天是蓝的，云是白的，风是暖的，我还是忍不住出去骑了一圈自行车。回到家里，先好好地洗了手，才进屋。看着院子里初开的桃花，练了一会儿《梁祝》，想着可能发生的事情，不由得有些伤感起来。

硅谷日记（ 2 ）2020.3.1.

三月第一天，天上的云飘来飘去，地上就忽晴忽阴，气温在60 °F左右，比昨天凉了不少。后院枣树和无花果树枝上还看不到一个嫩芽，柿子树枝上刚刚看见新芽，桃树的花又开了很多，而柠檬树好像整年都在结果。周末我的最爱，还是看着后院的花，松鼠上蹿下跳，鸟鸣不绝于耳，我喝着茶，练练琴，写写字。远处偶尔传来几声狗叫，间或有飞机的声音。

有更多的州发现感染病人，全国已有八十多人确认感染（包括从海外接回来的），刚刚报出来的是两名医务人员和一名邮递员。华盛顿州和俄勒冈州各有一所学校关闭。华盛顿州昨天第一个病人去世后（川总统误把去世的男人说成了wonderful woman），今天同一个老年中心的一位男士因感染病毒去世。专家对病毒进行遗传学测序分析后推测，病毒可能已经在他们州传播了六个星期了，很可能通过community transmission已经传染了数百人。华盛顿州和佛罗里达州宣布进入“紧急状态”；此前，旧金山市长也宣布了“紧急状态”。“紧急状态”听起来挺吓人的，但主要是可以启用某些资金和其它资源，对老百姓的生活并没有直接影响。

川总统以前是出了名的germaphobic，据说他个人对细菌是有异常的洁癖的，很久以来就有各种各样这方面的传说。对于没有经过他亲自批准就接回来了十四位病人，据说他大发雷霆。现在为了避免对股市的影响，他天天在电视机前呼吁民众“不要惊慌”。他说两个月会有疫苗，被指责是没有根据的说法。在新闻自由的地方，想糊弄老百姓也没那么容易。股市几天内跌了一成多，近四万亿美元成了泡影，是2008年大衰退以来最惨的一周。更多的国家被列入了入境的黑名单，好像有南韩，意大利，伊朗等。

为对付各界对抗疫不力的批评，现在任命了彭副总统领导联邦政府的抗疫工作。这一任命立即受到了一些批评，说彭没有公共卫生方面的经验，而且以前做州长的时候，在应对艾滋病和其它传染病方面政绩不佳。CDC因为动作迟缓一直受到批评，现在终于有一万五千个testing kits发下来了。CDC主任否认此前拖了四天才给UC Davis的病人做检测，说是有一些“confusion”。为官之道，在“甩锅”之术，普世皆然。据专家说testing kits的准确率也不如人们所想象的，会导致很多病毒携带者漏网。据我的理解，CDC只有指导和支持的功能，防疫的实质性职责和权力在地方(State和County)。

联邦政府吹哨人此前揭露政府工作人员去接Princess Diamond游轮上回来的人的时候没有采取防护措施；现在该吹哨人称“受到上级报复”，被上级指责“没有团队精神”，“影响士气”（听起来挺熟悉的）；国会对此要求调查，美国有专门的法律保护吹哨人。打击报复这种事，也是无处不在的瘟疫，关键是有没有制约这种行为的药剂来保护吹哨人。

大家日常的生活还没有受到什么直接的影响，官方给大家的建议就是要多洗手，彭副总统建议大家不要去买口罩，把口罩留给医

护人员。很多地方抢购生活用品还在继续，有的人是怕以后缺货，有的人是为了一次多买可以少来超市。

南卡州的民主党初选给拜登的总统竞选打了一剂急需的强心针，现在就看下周二Super Tuesday基本上定乾坤了。我的一票投给了Andrew Yang，已经在他退出竞选之前就寄出去了。他去CNN作了电视评论员，最近听说有人想找他做总统竞选搭档。

到了中午，松鼠和鸟儿都休息了。午饭后，我也象征性地睡了一个小午觉。去附近的硅谷亚洲艺术中心看了《春回大地》展，是刘海粟弟子侯宁的油画，他住在离我们这里开车两个多小时的乡下，画的都是当地农村的景色，带着春天的希冀。

看了画，去跟朋友打了三小时乒乓球，有输有赢，还算打出了几个好球。结束的时候，大家互道珍重，带着些许疑虑说“希望下周末还能打”，心情有点儿沉重。

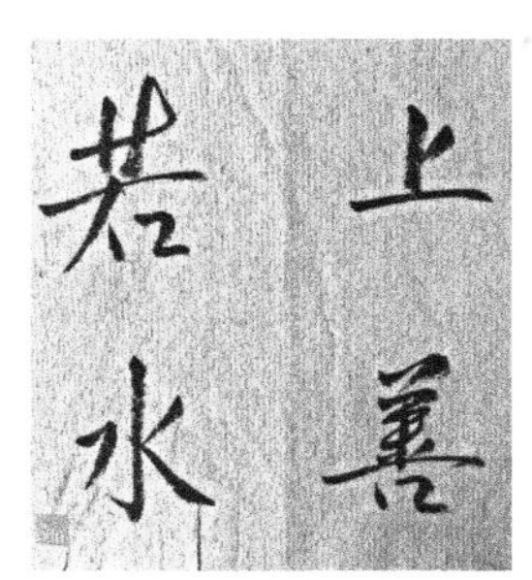

硅谷日记（ 3 ）2020.3.2.

又是阳光灿烂的一天，到了这个季节也不下雨，村头的小河还是干的。看来又是一个旱季。

我们County的感染人数到了九位，目前在全国算是比较高的。但目前最严重的还是华盛顿州，死亡人数到了六位，大多是同一个地方的。

媒体继续批评总统误导民众。批评卫生部长领导不力，耽误了时间。批评CDC动作迟缓；testing kits不准确，数量又少；该检测的没有检测；从海外接回来的人有一个还没有检测结果就放了，她去商场转了一大圈回来后，发现检测阳性，可能已经传染了其他人；等等。官僚主义啊！我的定律是，官僚主义与和老百姓的距离成正比。

但凡有些大事，各种阴谋论，各种谣言，各种想法和做法，都出来了。现在也是一样。我对人群的看法，和我对产品的看法有一些相似的地方；对于任何一个population(人群或产品)，都会有一个（经常是正态）分布：中间值，峰值，σ，等等。（今天去世的管理大师Jack Welch 当年极力推 Six Sigma。）总会有人在6 σ之外；或左，或右。这些人，有的是别有用心的，有的是脑子进水的（和羊群效应的），他们互为依托。这个分布又是动态的，随着时间的推移会越来越集聚，就是常说的“真理越辩越明”；信息通畅的地方，这个过程会更快一些。（产品的质量管理，也是如此。）

不知道这疫情往下会如何影响竞选，毕竟竞选会有很多的大规模集会；川总统说“很安全”。民主党这边，就在Super Tuesday的前夜，两天之内三位候选人退出。加州的亿万富翁Tom Steyer自掏腰包花了近三亿美元，黯然退出。女参议员Amy Klobuchar执政理念是靠中间的，选择退出可能是希望以后做Joe Biden的搭档。三十八岁的Pete Buttigieg唯一的从政经历是中西部一个十万人小镇的镇长，是个公开的同性恋者，执政理念是靠中间的，前一段气势很猛，连赢头两个州，但到第三个州不行了；我一直觉得他的position太笼统，没有具体的政策。现在我的预测是Biden第一，Bernie Sanders第二（可能有不少人担心Bernie太靠左了）；最后Biden会胜出，很可能选Klobuchar做搭档。明天局势就更明朗了。

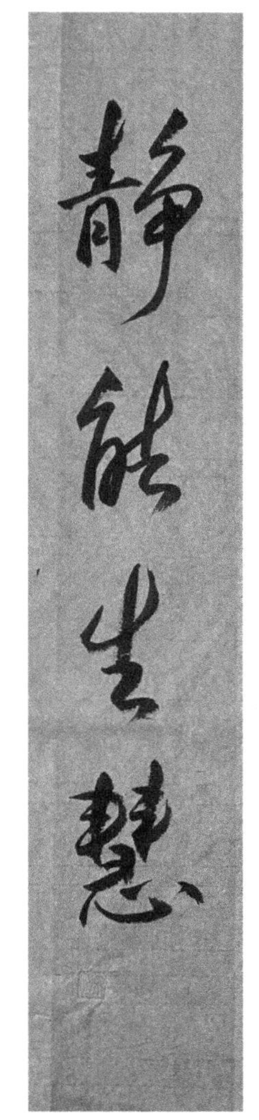

股市回弹了5%，但大多分析师好像都不太乐观。上下班的路上还是跟以前一样堵，公司内外也没有看见一个戴口罩的。我唯一的改变是洗手的次数多了。趁早上和晚上，又勉强走了一万步，算是每天的锻炼。

硅谷日记（4）2020.3.3.

后院无花果树的枝，看着要发新芽了；既是无花果，周围俨然还有些百花簇拥的气象。

外面，疫情还在全国扩散：我们County的感染人数到了11位，全国过120；华盛顿州死亡人数到了九位。

总统依然在误导民众，但他对于疫苗的说法被国家传染病中心主任当场纠正。CDC继续受到质疑，现在才知道原来CDC没有采用WHO的检测方法，而自己开发出来的方法又出了问题，耽误了宝贵的时机。

今天14个州（包括加州）进行民主党总统候选人初选，全国三分之一的选票会在今天决定。又一个亿万富翁，-Mike Bloomberg，自己口袋里的零花钱花了近五亿美元，可能很快会退出竞选。对竞选来说钱很重要，但是钱买不来选票；这就是民主制度的力量，也表现了民主党选民的成熟。不过Bloomberg很仗义，说会继续花钱支持其他民主党候

选人，击败川普。接下来，民主党候选人的角逐就在Biden和Sanders之间继续。有意思的是，有选民说，疫情的出现是他们投票给Biden的因素之一，因为更希望一个有经验的人来领导。

不出所料，股市又降回去3%。Federal Reserve 再次降息，刺激经济，但情况仍然很不容乐观。现在已经有不少服务业的员工开始为生计担忧。

我从川总统那里学了一招，人家虽然给民众说对疫情不必担心，但多年来都是随身带着hand sanitizer，而且有打喷嚏的人马上请出会议室。我今天也引入了这个best practice，出门的时候塞了一瓶Purell 在衣兜里。

硅谷日记（5）2020.3.4.

老祖宗说，瘟疫“始于大雪，衰于惊蛰”；现在到了惊蛰，看起来并没有衰退的样子。

全国的确认感染人数到了160人， 我们County就有14人，每天都在攀升。华盛顿州又去世了一位。加州发生第一例死亡！是在去墨西哥的游轮上被传染的。州长今天宣布进入“紧急状态”。

洛杉矶机场还没有检测到一个有症状的，但是

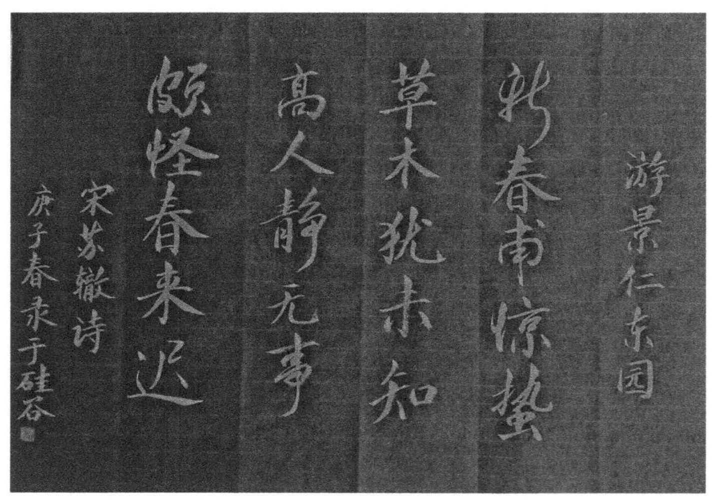

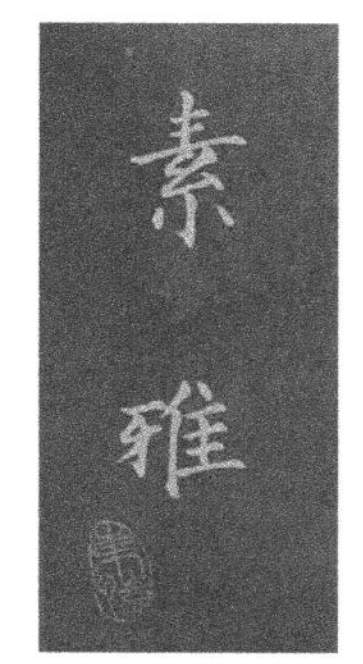

一位检测人员却出现了症状……他是从哪里被传染的呢？

昨天Super Tuesday民主党初选的果，Biden是最大的赢家。而就在短短的三周前，人们已经开始为他的竞选唱挽歌了……今天，连他的对手川总统都说是“incredible comeback”！局势一下子清晰了很多。这个事情，以后肯定会写入政治学教科书的。

共和党那边，川普获得提名已经是板上钉钉的事。有意思的是，74岁的麻省前州长 Bill Weld 明明知道完全没有希望，还是在竞选共和党的提名，目的就是要最大程度地对川普的竞选造成创伤，因为他认为姓川的不代表共和党的价值观。这老哥是条汉子！

我一直希望能有年轻的人作总统，看来这次是没有希望了：Biden77岁，川普73岁，Sanders78岁。从一方面来说，这是国家的一种悲哀。

央行降息，股市继续回升，看明后天走势如何了。外面还是没有看到一个戴口罩的，餐馆里好像人少了一些。

听说根据统计数据，老男人是这次瘟疫中风险最高的。仔细一想，自己就属于社会不待见的这个群体。悲夫！

硅谷日记（6）2020.3.5.

病毒离家门口越来越近了。全国的确认感染人数到了225人，我们County就有20人。

昨天加州去世的那位老人，不知道在游轮上是如何被感染的，也不知道他又感染了多少人，这些人又去了哪里。只知道当时跟他在同一条游轮上的人，有62人在他离开后又继续去夏威夷，现在船上2500人中，已经有20多人有了症状，正在船上隔离。等船回到旧金山后，将由直升机送testing kits到船上去检测。

CDC说的本周发送一百万个testing kits，据说很难实现。耽搁的时间越长，本来“可防可控”的事，会越来越失控，真是令人焦心！

总统继续公开地误导民众，真是卑鄙无耻。好在有媒体和专家坚持真相，老百姓才不受蒙蔽。

股市继续下跌，看来经济衰退的可能性是越来越大了。中午在外面吃饭的时候，看到有几个戴口罩的人。人们去商场的时候，都是急匆匆的。

家里，后院的柿子树已然是满树的绿了。若有人问，这是你家的吗？我说，我发现的美就属于我。

硅谷日记（7）2020.3.6.

早上出门的时候，才注意到这一段时间冷落了前院的花果，橘子成熟后自己落到地上，让我好一阵的自责和唏嘘。

公主号游轮载着54个国家的3400位游客回到旧金山了，不准靠岸，游客都被隔离在各自的房间里。由军用直升机空投了200个testing kits下去，船上的五位医生取了样品再由直升机送去测试。已经有21人（包括19名船员）测试阳性。我们County今天去世的一位72岁老人，就是之前从这条船上下来的。

已经有二十多个州确认有感染病人，全国已经超过三百人，我们County今天又增四人。西雅图那家老年中心又有三位老人去世。洛杉矶机场又一位检测人员被感染。彭副总统终于承认，“testing kits不够！”早干啥去了。

川总统本来安排要亲自去CDC的（在亚特兰大），后来听说那里一位工作人员发烧，就取消了行程，说是怕影响CDC的正常工作。后来那位工作人员检查结果是阴性，总统说还是去吧。（反正就在回佛罗里达过周末的路上……）一边还在给民众说这病毒不可怕，跟流感差不多……真是流氓无耻。（虽然他肆无忌惮，但人家起码还是在光天化日之下，敢做敢当的……）

不管姓川的怎么说，老百姓还是害怕这病毒……股市继续下跌。今天整天天上都有直升机飞过，还是第一次看到两架直升机并肩飞，不知道在忙些啥。使我时有心神不宁之感。

硅谷日记（8）

2020.3.7.

期待已久的雨终于来了，就是那么十来分钟的毛毛雨。出去骑车的时候，空气中还有一点儿土腥味。

眼睁睁地看着，湾区一天天成了瘟疫重灾区。全国确认超过四百例，华盛顿州和加州都过百，我们County到了32例（5.5万：1）。东海岸那边，纽约和佛罗里达最严重。全国死亡人数增到19人。

公主家的游轮还是焦点，而且游轮的乘客大部分是退休的老人。从船上下来后去世的那位老人，现在游轮公司说他上船之前就已经被感染了：这说明病毒在加州已经存在一段时间了。和他同船的2500人，不知道有多少人被感染，在旧金山下船后这些人又可能再感染多少人；只知道和他同船的62人又继续去了夏威夷，和这些人同船的3400人，已经确认有21人被感染，其他还在测试中。而最初那条船的部分船员又去了另一条船，不知道又感染了多少人。It's a disaster waiting to happen，而北加州则首当其冲。

川总统亲自去佛罗里达过周末了，彭副总统领导联邦政府的抗疫工作，还要小心翼翼地纠正老大误导民众的信息。CDC动作迟缓，耽误了宝贵的时间，到现在才提供不到六千个testing kits，让多少病毒携带者漏了网；现在总算说会有大批testing kits发下来了。地方政府的反应还是很及时的；虽然没有提出来要我们感恩，我还是想表扬一下他们这一段的工作。

骑车来到原来的果园（能吃的那种），现在就剩了一间小房子，在新果园（能用的那种）巨型飞碟的边上，算是那个年代留下来的一段记忆。

硅谷日记（ 9 ）2020.3.8.

早上出门，阳光灿烂，前院的枇杷结满了枝头。

开车去上二胡课的路上，收音机里正在讲犹他州瘟疫的事情，刚刚确认第一例，州政府成立了抗疫领导小组。为了给民众准确的信息，领导小组在推特发文，纠正川总统误导民众的信息。现在人命关天的时

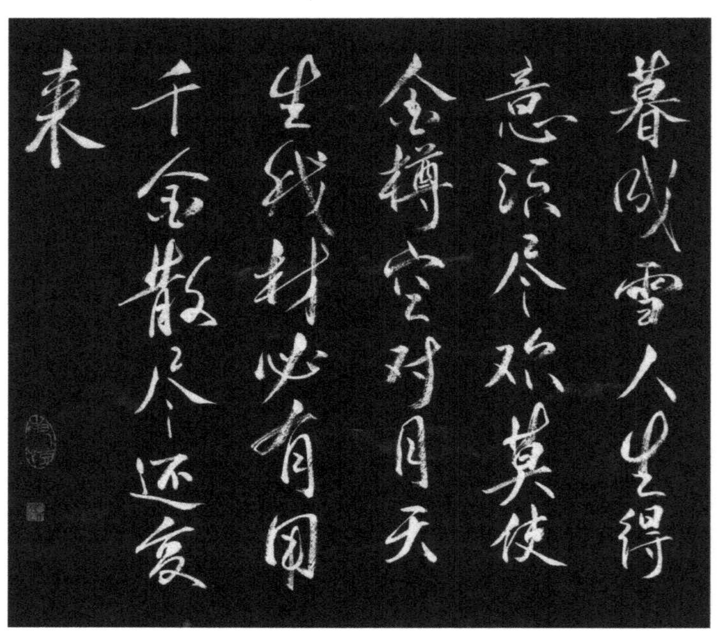

候，大家这么忙，还得花时间来纠正总统故意误导民众的信息，真是可悲！

瘟疫已经蔓延到34个州，全国已经过五百例了，纽约州也过百。我们County到了37例（4.8万：1）。全国死亡人数增到22人。

川总统说不希望公主号游轮上的乘客上岸，因为会增加确认病例的统计数字。（姓川的关心的是统计

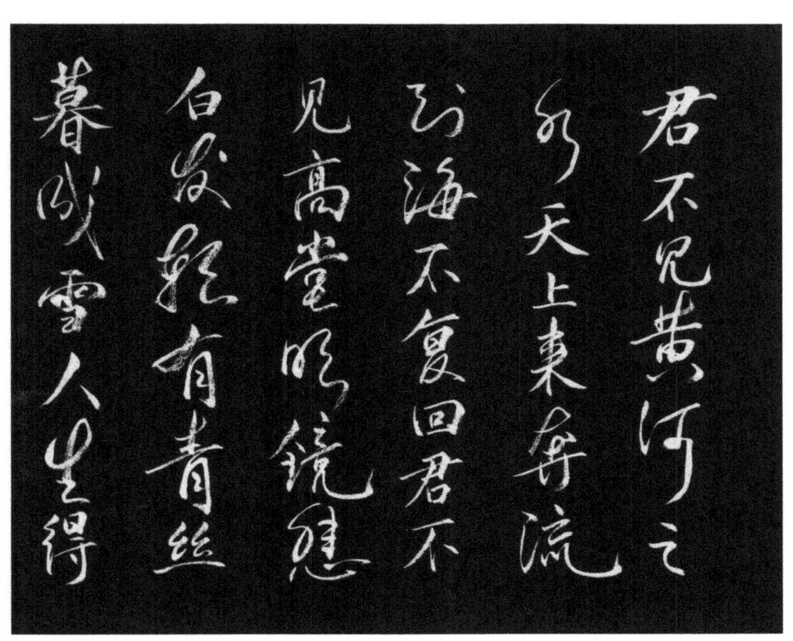

数字好看不好看，而不是民众的死活……）最后州政府和联邦政府决定，明天游船要到旧金山对面的Oakland靠岸，各州的人由各州接回，加州1000多人到军事基地隔离，然后船再回到国际水域，船员在船上隔离。

中午小憩，抄写李白《将进酒》。下午打了三小时球，输多赢少，还真是有点儿累。

硅谷日记（10）2020.3.9.

这么快就进入夏令时了，早上起床的时候，天还没亮。到了七点多，才听到第一声鸟鸣。又过了一个钟头，太阳照到后院篱笆上的时候，松鼠开始了第一支舞。

一大早，股市那边轰隆一声，电闪雷鸣。史上第二次“熔断”，又是在上周央行emergency rate cut（2008年大衰退以来第一次）之后；一天下来，股市降了百分之八。不管总统咋嚷嚷，股民的信心崩溃了。

公主号在Oakland靠了岸，先是一位用救护车拉走了，然后是加州的一千多人去两个军事基地，外州的去德州和乔治亚州的军事基地，外国人回国，船员留在船上。南边，另一艘公主号游船还在水里游荡，不能靠岸。

36个州总共超过七百例已经确认，我们County到了43例（4.1万：1）。全国死亡人数增到26人，包括我们County的第一例（一位六十多岁的妇女）。

国会那边，参议院三分之二的议员是60岁以上的，众议院平均年龄是58岁，五百多议员再加上几百个职员每天扎堆聊天，一帮老头老太太都很为自己焦虑，在讨论要不要休会，说是要回选区领导抗疫；79岁的年轻女议长说要由国会医生决定。五位共和党议员上周参加川总统说是“很安全”的竞选集会时，接触了一位后来测试阳性的人，现在这几位政客都在自我隔离（其中一位搭总统的飞机从佛罗里达州回DC，刚上飞机收到了信息，立即开始自我隔离）。在抗疫问题上总统被大家放到了背景噪音里，表面上还在装不在乎（实际上自己很害怕）。

疫情将对这次总统选举产生直接影响：第一，对经济的影响（而经济是这次选举的焦点之一）；第二，对竞选集会的影响（特别是候选人都是七老八十的，而且几乎天天要集会）；第三，对选民参加选举投票的影响。

湾区很多公司都进入了work from home模式，今天路上一点儿都不堵。我自己逃了Bikram yoga，零零碎碎搞了不到一万步，就这样吧。

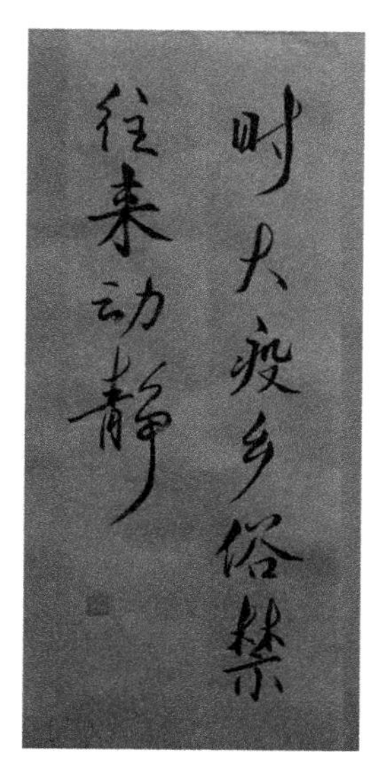

硅谷日记　（11）

2020.3.10.

今天早上是个大阴天，到中午才晴起来。瘟疫继续蔓延，全国确认病例已经过千！我们County到了45例（4万：1）。全国死亡人数增到29人（包括加州三人）。

股市回升了百分之五，大家还在等待救市的方案。总统提出给企业减税，国会反应冷淡。民主党的方案主要是针对民众个人，比如带薪病假，免费测试，等等。

国会那边一帮老人继续建议休假和远程投票，议长说我们要像船长，最后才能下船。民主党候选人开始取消竞选集会，不知道以后瘟疫对竞选还会有多大影响。

川总统和他的御用电视台，以及几位共和党领袖，把COVID-19称作China Virus, 被批racism. CDC主任还驳斥川某建长城阻挡瘟疫的说法。

医院都在停车场建方舱，发热病人先到那里检测。呼吁一般人不急需的手术都往后延。大部分大学都开始网上授课，高速公路上一点儿都不堵。美国人有的时候还真听话；专家说把口罩留给医务人员，外面到现在还真是很少有戴口罩的。

听说附近一家本地最大的华人超市有店员被传染，马上关门消毒。San Jose机场三位安检人员检测阳性。

晚上在家，读到古人抗疫的事情，一千多年前苏东坡那时候就用了隔离的办法对付瘟疫，“乡俗禁往来动静”。

硅谷日记（12）2020.3.11.

早上，后院地面湿乎乎的。太阳一出来，蓝天白云下面，俺村更显得温馨静谧。

在这大好的光阴里，病毒在悄无声息地蔓延。一天时间，全国确认病例增加了三百，我们County又增加三例，是重灾区之一。联邦政府特别建议在我们County的企业给员工每天量体温；但是否采

纳，最后决定权在County。

昨天股市回升的那几点儿，今天又降回去了，没有多少人相信这个疫情（和对经济的影响）会很快过去。

总统从Oval Office发表电视讲话（这是第二次；第一次是政府关门逼国会给钱修长城），要点如下（根据我的总结）：

1）夸自己：本来是CDC 动作迟缓误了时机，总统一直误导民众，现在听着倒像是“当机立断，扶大厦之将倾”。

2）赖别人：欧洲没有及时关闭与中国的航班，自己出了事，现在又把病毒传到美国来了。所以，停止欧洲航班一个月。

3）不要慌，有我在。（我竖着耳朵听要大家感恩的话，好像没说。）

总统前两天还坚持说这瘟疫跟流感差不多，今天终于改口了，说对老年人还是挺危险的。值得表扬，总算离真话更靠近了。以后可以试试多讲几句真话，天塌不下来。考虑到疫情，总统的竞选集会也取消了。

这周在练一个曲子，“Speak Softly Love”. Yes, speak softly love.

硅谷日记（13）2020.3.12.

早上的小村，在弥漫大雾的笼罩下，显得更加朦胧而宁静。病毒就像那大雾，正无声无息地包围着我们。

一天时间，我们County的确认病例从48例增加到了66例，全国又增加了四百多例；这样发展下去，后果不堪设想。

昨天总统的讲话，九分多钟的讲话就有三个错误（后来马上要纠正）。我数了一下，短短的讲话中，14次用到“I”，平均每40秒一次。可能这是成功甩锅的要素之一；我马上收入“领导甩锅秘笈”。最大的问题是，精彩的甩锅可能安抚住了一部分选民，但股民的反应却是另一回事。虽然央行抛出大量贷款救市，股市今天还是降了10%，在短短的几天内第二次“熔断”。股民给总统昨天的答卷打了个“F”，表现出对他领导抗疫的极大不信任——尤其是当越来越多的人认识到，总统早期的有意误导和联邦官僚的无能拖延，已经耽误了多么宝贵的时机和时间。

国会取消了下周原定的休假，要讨论经济刺激方案。各种大型

体育文艺活动都取消了，两党的竞选集会也取消了，Biden和Sanders在各州的竞选分部办公室也关门了。疫情也使大家更加关注医疗问题，而医疗问题和经济问题一样，是选民高度关注的问题。疫情对总统竞选的影响已经开始了。

安顿自己，在惊慌中，在迷雾里。

硅谷日记（14）2020.3.13.

早上和煦的阳光，照着后院那叫不出名的野花，是我喜欢的那种素雅，而又从来都开得这么茂盛，好像全然不知季节的变换。

外面的疫情越来越紧了，全国好像只有两个州还没有疫情；这一天又是猛增了五百多例，已经超过两千了，死亡人数到了50人。我们County的确认病例一周内翻了一倍，到了79例，而且今天又去世了一位。作为重灾区，County决定学校关门三周，禁止100人以上的集会。

总统前天考试得了“F”，今天又给自己一次补考机会；宣布“紧急状态”，这样可以启动$50B的资金，还可以放宽很多医药方面的管制。众议院民主党也跟总统达成了共识。很快，众多的检测点会在全国各地出现，费用由保险公司和联邦政府承担；纽约每天就可以做六千个测试。上次总统讲话后股市降的10%，今天又升回来了。

在媒体的一再追问下，总统终于说他很快也要检测，因为上周末在佛罗里达会见巴西总统时接触的好几个人都测试阳性。

竞选集会从线下转到了线上，七老八十的候选人也不用每天马不停蹄地周游列州了。路易斯安那州把初选推迟了两个月。

从公司到街上，还是没有戴口罩的。新的流行词是“social distancing”“疏远”成了新的时尚。物理上的距离或许远了，在这艰难的时刻人们的心理距离更近了——跨越党派，种族，国界。

出去骑车的时候外面风很大，挺费力的。可能要下雨。

硅谷日记（15）2020.3.14.

早上离开家的时候还是阳光灿烂，出村十几里到了山脚下，刚停下车就感觉到有雨滴了。天忽晴忽阴，雨下下停停，阳光和蓝天白云下，彩虹就在前面的山头。

忽然想起小时候跟村里的小伙伴们唱的童谣：“老天爷，不论理，出着日头下着雨。”又长了这么多岁，才知道老天其实是最讲道理的，不讲理的是我们，尤其是我们当中有些位高权重的人。他们或身在总统之类的高位，因为手中的权力，常常是不跟老百姓讲理的；天长日久，他们越来越膨胀，越傲慢，越自负，跟老天也不讲理了。要么“人定胜天”，最后搞了个鼻青脸肿，陷百姓于水深火热。要么为了政治需要，厚颜无耻地坚持说气候问题是骗局，把灾难留给后代。要么为了保持社会气氛（其实是为了自己的光环），瞒报疫情，不顾民众死活。要么怕影响经济（其实主要是担心影响竞选连任），恶意误导民众，耽误抗疫时机。通常，跟老百姓不讲道理的人也是跟老天不讲道理的，因为他们的基本思维和执政方式是：武断。到头来，遭殃的还是老百姓。可悲呀！

本来是可防可控的瘟疫，由于一层层的或有意或无能的错误，现在成了席卷全球的灾难；在美国登陆后由东西海岸向内陆推进，目前49个州确认病例接近三千例，死亡58人，我们County 确认病例到了91例。在这么短的时间内，瘟疫对美国经济造成的损失已经达到$17B；这还只是刚刚开始。

细雨濛濛，山里满眼都是绿叶青草，唯一的声音是微风和鸟鸣。大半天走了不到九公里，身上也淋湿了。

中午回到家里，吃饭休息。下午这边也下起细雨来了，院里的草地显得更绿了。看着窗外的雨，喝茶，写字，习琴，发呆，无所事事，就在这样的时候了。

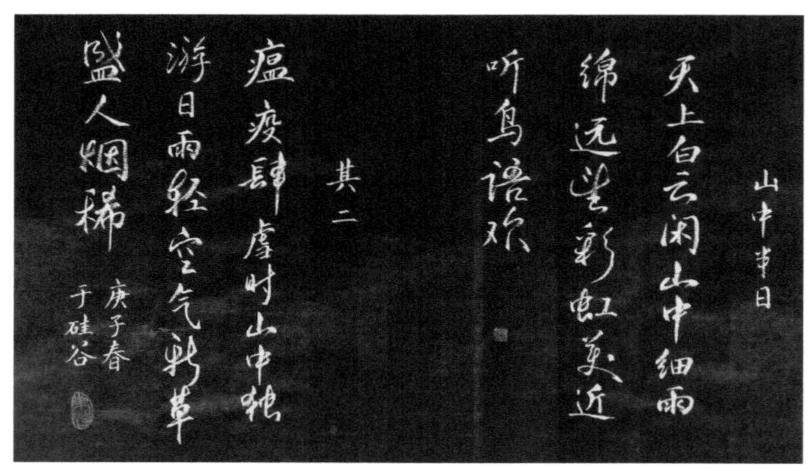

硅谷日记（16）2020.3.15.

润物无声的细雨从夜里又下到了白天，后院我钟爱的叶子花，有两三叶熬过了冬天，在雨中显得更可爱了。

今天全国的确认病例又增加了近八百例，死亡人数增加到69人。我们家十英里内有111例，死亡2例。

按最坏的估计，疫情可能再折腾一年，半数以上的人会感染，死亡率百分之一，就是说全国可能会有一百五十万人死亡。这是多么可怕的一个场景！我们的目标就是要争取最好的结果，避免悲剧发生。

CDC现在建议取消五十人以上的聚会。这个礼拜日，连教会的崇拜都是线上进行。我下午出去打球的时候，路上的车辆都很少。打球的球友少了一半，没有人替换，连续打了三小时。

央行又采取了大动作，在星期天宣布将利息降为零；看明天股市如何反应了。

今天是全国的祈祷日。圣经说：凡跌倒的，耶和华将他们扶持。（诗篇145-14）。阿门！

硅谷日记（17）2020.3.16.

当春天的脚步越来越近，后院的桃树已是满树花开，枣树枝终于发了这一年的第一个嫩芽。

还下着小雨，早上去村头的公园，竟然连一个人影都没看到。到了公司，中午的时候大家都在议论疫情的事情。今天全国的确认病例又增加了近千例，死亡人数增加到91人。

虽然央行采取了紧急措施，股市还是大跌，降了13%。总统在记者会上宣称对疫情有“tremendous control”，而在他离开会议室后，卫生部门的专家马上要对这样不负责任的谎言消毒。

现在连最高法院（年龄最高的法官87岁）的工作都延期了，一百多年来还是第一次。

令人鼓舞的消息是，今天下午东部时间1:14，第一支疫苗试剂注入志愿者身上。

各地的地方政府，以County的卫生部门为主导，在紧锣密

鼓地部署抗疫的工作。今天下午西部时间1点，北加州6个County（包括旧金山、硅谷这一片）宣布“Shelter in Place”三周，覆盖人口近七百万人，除关键部门外一律停工停学停业，没有重要事情不要出门（主要靠自觉遵守）；可以去公园遛狗或锻炼，但人与人要保持2米以上距离。

晚上回到家里，感到少有的疲惫，心里很乱。可见，这件事情的严重性，已经进入了我的潜意识。

雨停了，在村里踽踽独行。天很凉。

硅谷日记（18）2020.3.17.

“全民宅”的第一天早上，我特意到门外，记录下这特殊的一刻。山茶花沐浴在晨光里，在等待一切都恢复正常的那一天。

我强行征用了家里的书房，作为在家上班的办公室。早上跟全球团队第一个电话会议的时候，我刚说了一句“整个社会都在面临特别的挑战”，声音就有点儿哽塞了。没想到我还如此emotional，好在没有人看见，马上提起嗓门接着讲下去。

在家上班比在公司上班还累，在公司经常会到各个地方开会，而在家里办公，一坐下就是半天，要提醒自己经常站起来活动一下。

瘟疫到了全国50个州，全国确认病例一天增加近1800人，快到6500人了，死亡114位。我家10英里以内确认150例，死亡4位。

仔细看了一下County卫生官的命令，共七页，非常详细，包括能不能出外遛狗，照管宠物等等，都有安排，看起来非常合理。Shelter in Place（我译为“全民宅”，因为不同于“封城”），是一个非常正确的决定。

政府还在讨论救市方案，股市回升5%。

晚上到村头公园散步，看到有其他人就远远绕开。一边散步，一边回顾几个月来发生的事情。大的事情就像一面镜子，能帮助我们看清楚世界上形形色色的人。疫情在世界范围爆发之后，我看到了真诚，厚道，善良，包容，理智，正义，高尚；也看到了愚昧，肤浅，狭隘，极端自私，卑鄙，猥琐，内心的苦毒带来的幸灾乐祸，和由于自卑而表现的狂热自信；还有无奈，还有冷漠。还是我以前说过的，即使在一个很小的样本中，都会有一个分布。看到世界上的一些事情，我感动过，愤怒过，同情过，失望过；也有些时候读到朋友圈某个帖子会使我想到庄子“语于冰”那句话，说出来会显得刻薄，但我更感到悲哀。

这一段时间，还是要想办法坚持锻炼。

硅谷日记（19）2020.3.18.

天上阴云密布，太阳偶尔从云缝儿里露出一点儿来，零零星星还能感觉到一些雨。村头公园成了鸟和松鼠的世界；不知是哪家孩子忘在那里的木马，孤零零地在等待他的主人。

又是忙碌的一天，整天坐着还真是挺累的，右肩有些不爽的感觉。要经常站起来活动才好。

瘟疫更加疯狂了，全国确诊病例一天增加近3000人，快上万了；死亡一天增加33人，到了152位。我家10英里以内共

确诊169例，死亡6位。

川某为了甩锅，开始明目张胆地上演种族仇恨的丑剧，不负责任地把瘟疫叫做Chinese Virus，受到主流媒体的强烈批评。

政府通过了救济方案，主要内容是有关病假，失业救济，免费检测等等。但股市却又把昨天升上来的5%降回去了，看来股民还是很焦虑。

读到瞿秋白的一句话：“如果人是乐观的，一切都有抵抗，一切都能抵抗，一切都会增强抵抗力。”

昨天练琴，咋都练不下去，非常沮丧。今天好多了。

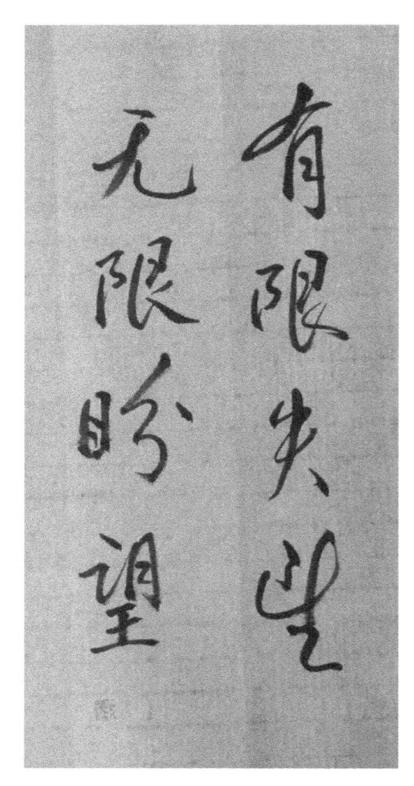

硅谷日记（20）2020.3.19.

早上是个大晴天，门前的白山茶花孤寂地开着。天很暖和，中午到了62 ℉。到了下午，天上乌云密布，天黑前又晴了一会儿。

进入了WFH的新常态，在书房里一坐下来又是一整天。

瘟疫病例加速攀升，全国确诊病例快到一万五千人了；死亡一天增加57人。悲观估计，8周内加州一半以上的人会感染。

今天开始，全加州四千万人进入“全民宅”。

这两天，我做了很多的思考，一个想法在我脑子里越来越清晰，说出来又怕别人说我哗众取宠，耸人听闻。我觉得，七十多年来世界人民一直努力避免的WWIII，现在正在以瘟疫的形式展现；不是一群人杀戮另一群人，而是全人类共同面临病毒的挑战。但愿后果远远不会是如此严重……

当全世界面临一个共同敌人的时候，我们需要的不是种族仇恨，而是互相支援，并肩作战。

今天又有些不淡定了，无法静下来练琴。

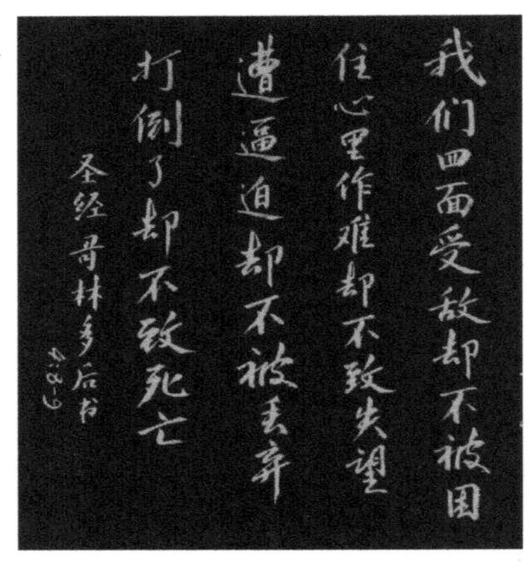

硅谷日记（21）2020.3.20.

时间咋过得这么快，一转眼就到春分了；昼夜均分，正式进入春季。今天我的心情就和天气一样：天是蓝的，云是白的，阳光是暖的。

全国上下，如同宋代诗人杜安世当年春分时节诗中写的那样，“寂寞锁高门”，七千万人在“全民宅”中。联邦政府宣布“闭关锁国”，关闭南北边界。

瘟疫依然气势汹汹，全国确诊病例快到两万了，死亡人数到了261人。而就在短短的三周前，我第一篇日记的时候，才出现全国第一例死亡。我家十英里内，现在已确诊187例，死亡8位。

股市又降百分之五，失业人数激增，很多人开始为生计担忧。

回想这一周，我的心情就像在坐过山车，忽上忽下，这是以前很少出现的情况。细想起来，当然是为自己的安全和健康操心；“位卑未敢忘忧国”，也非常忧虑这场瘟疫世界大战将给社会带来的无可估量的影响：经济，就业，民生，社会安定等等一系列的问题；这些问题将会影响到我们每一个人。

下班后，趁天还亮，出去骑了一圈自行车。

硅谷日记（22）2020.3.21.

今天的天气在晴与阴之间不断切换。早上开车十来分钟到山里的时候，还是漫天乌云。这里来过无数次了，可每次来都会发现新的山路。今天这条路上上下下比较陡，力气没有白费，有新的惊喜——一条以前没有到过的小河。半天三个小时走走停停，走了八公里多点儿。

确诊病例眼看着往上窜，全国一天内又增加了七千人，死亡人数到了341人。我们County 确诊病例到了263人，死亡8人。

全国八千万人处于“全民宅”，大家都在呼吁年轻人不要轻视病毒。很多企业捐献口罩、呼吸机等给医院。我们附近小镇Sunnyvale一家公司研制出来的testing kits，45分钟出检测结果，得到FDA 批准使用。

傍晚时分，天气转晴。在家习字练琴，保持淡定。

硅谷日记（23）2020.3.22.

一大早就是阳光灿烂。这样的天气最容易激发我的文青情结，是习琴练字的好机会。

上午的主日崇拜还是在线上进行，向神祈祷。诗篇23篇（大卫的诗）第4节说："我虽然经过死荫的幽谷，也不怕遭害，因为你与我同在。"阿门。

瘟疫加速蔓延，全国确诊病例一天内又增加了八千多人，已经超过三万五千人，死亡人数到了470人。我们County确诊病例到了291人，死亡10人。

GM, Tesla等几家公司准备生产呼吸机。总统调用了国民警卫队给加州和其他州建设医疗设施。

下午趁周末天气好，在后院自留地除草，准备种菜。到了傍晚时分，阵雨降临，晚饭后又转晴。

硅谷日记 （24）

2020.3.23.

浅蓝色的天上，一朵朵白云懒洋洋地一动也不动。外面唯一的动静，就是偶尔的几声鸟叫。那种气氛，只能用serenity来描述。

病毒还在不停地向我们袭来。全国确诊病例已经超过四万六千人，死亡585人。加州预计会短缺一万七千张病床。更多的公司转产医疗设备。

总统把病毒称为Chinese virus，受到专家和媒体的批评。今天他特别强调，病毒的传播与亚裔美国人没有任何的关系。

全国一亿六千万人口进入“全民宅”。股市继续下跌，又降了百分之三。

晚上没事的时候，诌了几句打油诗。

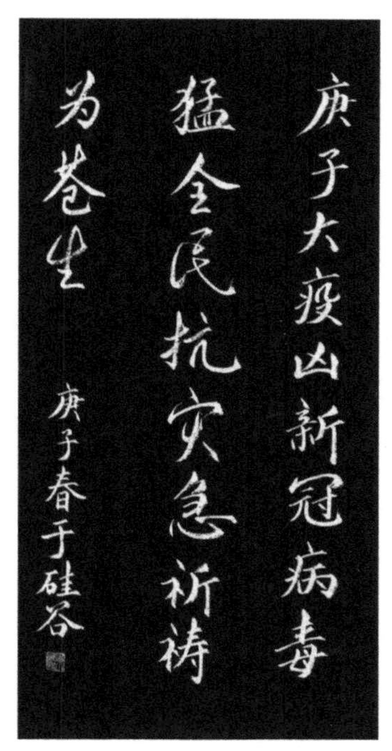

硅谷日记（25）2020.3.24.

上午是艳阳天，下午是细雨绵。整天呆在家里，辜负了这美好春光。

因为我们在与病毒作战。全国确诊病例已经超过五万五千人，死亡796人。我们County确诊病例到了375人（大约450人中有一例），去世16人。今天南加州一位孩子去世，是全国第一例18岁以下因新冠病毒去世的。

媒体评论说加州是抗疫最积极的，我也这么认为。不过医疗资源还不够，目前还短缺几千张病床、10亿双手套和5亿只口罩。多个大公司都在转产医疗设备。

总统希望四月中旬能解除大规模的隔离，恢复生产和其它活动；我估计会很难。决定权在地方政府。

总统今天说不再把病毒叫Chinese virus。这是很有意思的事情，因为他平时的性格是越有人批评，他越要坚持。不管咋样，能改正错误就是好同志。希望继续进步，改进的机会还非常多。

国会2万亿的经济刺激方案还没搞定……不过股民还是挺期待的，股市涨了百分之十左右。

美国抗疫至今几乎没有壮烈的英雄；有的是众多的很平凡的英雄——起码我认为他们是英雄，虽然不壮烈。比如说前线的医护人员，试用疫苗的志愿者，消防、警察和其他公务人员，关键产业坚持生产的工人，超市和药店的员工，医药研究人员，邮政快递的员工，等等——当我们宅在家里的时候，他们冒着风险坚持在第一线，负重前行。还有新闻记者，顶着压力也要给总统提尖锐的问题。还有八十多岁的Dr. Fauci，很艰难地坚持当场纠正总统的错误信息。还包括国会几百位老人，一直坚守在岗位。甚至普通民众，坚持把口罩留给医护人员…… 他们不都是英雄吗？

硅谷日记（26）2020.3.25.

抽空在村里转了一圈，偶尔看见个人，都很默契，远远就互相躲开。

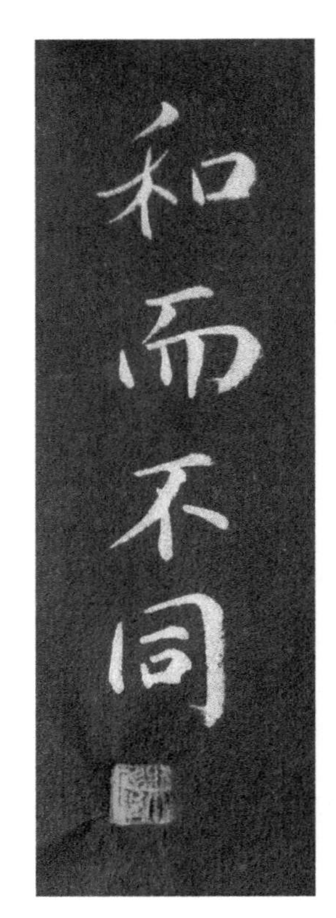

疫情在加速扩散。全国确诊病例将近七万人（一天增长一万四千人！），死亡人数过了千（1045人）。我们County确诊病例459人，去世17人。

经济和就业受到严重冲击，加州这个月申请失业救济的就有一百万人。国会两党和白宫马不停蹄，希望这周能通过史上最大的（2万亿！）救市方案。

病毒是全人类的共同敌人。在这场人类与病毒的世界大战中，我们需要的不是仇恨、乐祸、指责、冷漠；而是互相关爱、守望、同情、帮助——超越国界、族群、政党、信仰。

硅谷日记（27）2020.3.26.

好几天以来第一个完整的晴天，窗外的春光多么美好！

疫情的发展，却使我感到非常沮丧和压抑。全国确诊病例一天增加近一万七千人，到了八万六千人（世界最高）。死亡人数一天增加244人，到了1299人。有预测模型估计四月份高峰时期可能每天死亡2300人，死亡人数会到八万人！

我们County（人口一百八十万）确诊病例542人，死亡19人。最令人担忧的是，还有很多没有确诊的患者（专家估计九千到一万九千人）在大众之中。专家估计，高峰会在两三个星期后出现，两三个月内硅谷可能会死亡两千到一万六千人！

早期CDC没有提供Testing Kits，总统对疫情轻描淡写，错失了可防可控的机会，害了多少人！

我希望这些预测都是错的；同时，它又使我非常担忧，虽然我个人的风险可能很低。

目前疫情最严重的是纽约。响应州长的号召，五万退休医生成为志愿者。今天纽约一位48岁的护工因感染病毒去世。向James Kious Kelly致敬！

经济受到的影响是二战以来最严重的。一周内，全国三百万人申请失业救济金。总统还是在推动4月中旬恢复生产和经济活动。Dr. Fauci说，时间表是由病毒定的，不是我们能定的。

股市上涨百分之六，还在期待两万亿的救市方案。

很多人担心，疫情会敲响全球化的丧钟。我更希望，疫情会让更多的人体会到我们的互相依赖，会让爱得到更大的彰显。

硅谷日记（28）2020.3.27.

惜春光无限，隔帘望，叹叹叹！

不能在外面尽情享受明媚春光，一般来说会有几种情况：战乱；监禁；灾害。我们正在经历的，就是人类对瘟疫灾害这场世界大战中的作战方式：自我监禁。

全国确诊病例一天又增加近两万人，超过了十万人！死亡人数一天又增加四百人，到了1723人。我们County确诊病例554人（3000 : 1），死亡20人。

总统援引国防生产法案，命令GM马上开始生产呼吸机。在记者会上，总统说他指示副总统，不要理那些不对联邦政府感恩、批评联邦政府的那些州长。真是服了川某，人家什么话都是直说的，一切都是“阳谋”。不管其它方面表现如何，人家这一点比那些“既做婊子，又立牌坊”的政客要好得多。

国会通过了史上最大的二万亿救市方案。股市又降了百分之四，真让人糟心。

今天是非常忙的一天，心情平静下来许多。傍晚坐在窗前，看着落日，万籁俱寂中，拉起曲子Speak Softly Love，是低吟的调子，有些惆怅，有些伤感，有些无奈，又有些希望。

过得快的日子，忘得也快。而这样的画面，这样的岁月，注定是要永久留在记忆里的。

窗外，一轮新月升起。

硅谷日记（29）2020.3.28.

到了下午，雨停了，赶快去山上放了几个小时的风，走了八个半公里。

在车上听新闻，全国确诊病例一天又增加两万人，死亡人数一天又增加五百人，到了2196人。确诊病例大概每三天翻倍，每周后面加个0。真恐怖啊！我们County 确诊病例566人，死亡25人。

加州估计高峰马上要到来，确认病例一天增加了26%；ICU病人一天翻了一倍，到了410人。州长说，现在制定抗疫方案是依据住院的和进ICU的病人数，因为这个数字是准确的；而实际的感染人数是无法确认的，因为测试跟不上。刚到洛杉矶港口的军舰医院可以提供一千张病床，用来接收通常的病人，这样地方医院可以有病床给瘟疫病人。国民警卫队帮助我们County在会展中心建了方舱，有250个床位。

我要赞扬加州地方政府（State，County，City）的有力领导，在决策、资源等方面做得都很好，为百姓减少痛苦和损失。

硅谷很多公司都在发挥创新精神，争分夺秒生产呼吸机和其它医疗设备。我也争取能有机会支持这样的工作。

现在大家都怕纽约出来的人，有的州警察根据车牌号追踪纽约

来的人，要求他们隔离14天。德州警察还搞突袭检查，发现不按规定进行隔离的，可以罚款一千刀，拘留180天。好几个州还在提前释放罪比较轻的，刑期快满的，或者年龄比较大的服刑者，因为担心监狱里面瘟疫蔓延。

今天传来一个惊人的消息，西雅图一家医院急诊部17年的医生，Dr. Ming Lin，因为揭露医院防护措施不足而被解雇。如果真是这样的话，那是极其恶劣的事情。全球媒体都在报道，看下面如何发展。

平凡的英雄不断涌现……佛罗里达州一位19岁的女教师，周六开车到她的各个学生家门口，在车里远远地看望她两三岁的学生，花了一整天的时间。纽约五万退休医护人员志愿报名去抗疫前线，他们是高危人群，但却有很多人表示，如果被感染，放弃使用呼吸机。他们也是勇敢无私的逆行者。这是何等的精神！向他们致敬！

从山里回来的路上，匆匆去了一下超市，来超市的人大概有一半戴口罩的，排队的地方地上贴了标志，保持两米距离。店员很少戴口罩的，真为他们担心。

原来都难以想象的事情，现在就在我们面前一天天发生……瘟疫终将被控制，但世界却将永远不同。

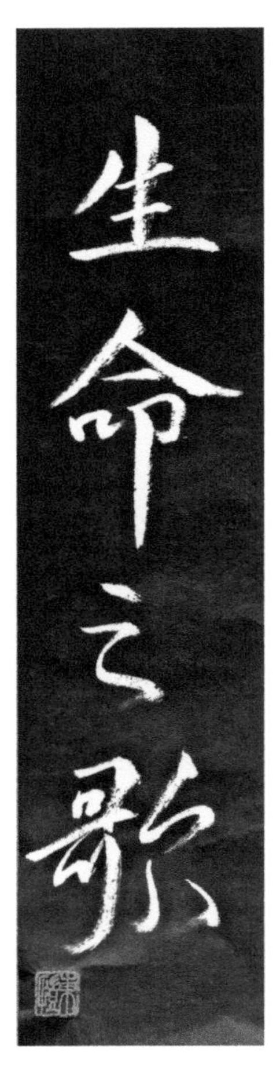

整天都阴沉沉的，不过倒是一天比一天暖和，到了64 °F。

上午主日敬拜还是在线上进行。今天牧师讲道的内容是《哈巴谷书》第三章，学习敬畏主，仰望主，求神的怜悯。

全国确诊病例到了十四万人（包括加州5700人），死亡人数到了2392人。我们County确诊病例621人，死亡25人。高峰会在下个月中下旬到来，6月份有可能开始好转。总统不再提4月中复工的事了。

到了这样的时刻，总统还在吹他记者会的收视率。醒醒吧，你现在的工作不是reality TV。

硅谷日记（30）2020.3.29.

几家大保险公司说他们会负责投保病人的全部瘟疫治疗费用，患者不必担忧自付的部分，免除大家的后顾之忧。

我洗手终于能洗到二十秒了，第一遍唱Happy Birthday，第二遍唱Happy New Year，算是我的best practice。

下午出去骑车，轮子气不太足，又有点儿风，有点儿费劲儿。在村头小路口，看到保持距离的指引。路上看到戴口罩的人还是不多。公路边加油站车很少，油价降到了$2.69。

回到家里，收到老家两位堂姐先后发来的微信，关心我们的情况。我们小时候一起在村里长大，我十五岁离家去京城念书，一转眼就到了这年纪。这么多年也没有帮过他们，这万里之外还劳他们记挂。

是的，生命之路是曲折的，生命之歌也有丰富的旋律——有时高昂，有时平淡，有时喜乐，有时忧伤。“我要因耶和华欢欣，因救我的神喜乐。主耶和华是我的力量。”（圣经《哈巴谷书》3：18）阿门。

硅谷日记（31）2020.3.30.

一周的大晴天开始了。今天又是非常忙的一天，没咋顾上看窗外的春色。

眼看着全国确诊病例又增加了两万多，死亡人数到了3189人。我们County确诊病例又增加了两百人，至今死亡28人。全国两亿多人处于“全民宅”。

股市涨了百分之三。但经济前景非常不妙，有经济学家估计未来失业率会到百分之三十，可能近五千万人会失业。

Facebook捐献一亿美元资助新闻工作者。这个非常重要，民主要靠新闻自由来保障，特别是当领导人每天都在撒谎的时候。

之前川某坚持把病毒叫做Chinese Virus，引起各地骚扰华人的事件。今天，我们County的检察官特别发了video，对这样的犯罪行为发出严厉警告。

昨天晚上，满载医疗物资的第一架飞机从中国飞到纽约，后面还有很多。希望这两个伟大的国家能够互相支援，建立人民的友谊。我不知道别人是怎么想的，我是希望中美友好。很令我失望和不解的是，我有些在美国的华人朋友，在中美出现分歧时，不是尽力化解矛盾，而是热衷于“阴谋论”，添油加醋，火上浇油，煽风点火，不一而足；我实在是弄不清楚这些人的心理动机是什么。

人们互相隔离了，但全国各地有很多平凡而又非常感人的互助互爱的故事。学校虽然关门了，但还专门为午餐的事情做了安排。几家快餐连锁店为贫苦人家的孩子提供免费午餐。这个社会靠的是大家，我叫它“大众平凡的英雄主义”，而不是“小众壮烈的英雄主义”。也希望不会有被遗忘的人群，为大家的平安付出悲惨的代价。

我还要想办法坚持锻炼。车库里的发球机，终于用起来了。

硅谷日记（32）2020.3.31.

一早上忙得没太注意外面，好像是个大阴天。中午吃饭的时候，乌云都不见了，外面阳光灿烂，看着跟夏天似的。窗外，蒲公英正骄傲地盛开。

疫情越来越严重。全国确诊病例将近二十万人，死亡4102人，超过了911恐怖袭击的死亡人数。目前只剩一个州还没有出现死亡。专家估计，未来死亡人数将会达十万人，即每三千人中就会有一人死于瘟疫。这是多么严峻而悲惨的前景！

我们County确诊病例到了860人（2000:1），死亡30人。加州“全民宅”还是有效的，湾区几个County正式宣布再延长一个月。全加州的学校这个学年就不再开门了。加州监狱要加快释放3500犯人。

股市又降了百分之二，结束了道琼有史135年以来损失最惨重的一个季度。昨天加州有十五万人申请失业救济，创下了单日的历史记录。

在困难加剧的情况下，人们的互相关爱也在加深。湾区

好几家饭馆，由捐款的支持，给医护人员送饭。Elon Musk说要给急需的医院免费（包括运费）送呼吸机。感谢Tesla！

今天晚上电话会议结束比较早，抽时间练了一会儿琴。曾有朋友问我，为啥不学个钢琴、小提琴之类的（言外之意是，二胡有点儿土）。我想起来小时候在村上，偶尔会来说书的人，在生产队的牛屋里（相当于今天的礼堂）唱《沙家浜》，那时候我就见到了二胡这玩艺儿，觉得挺好听的。可能，这就是人们常说的“初心”吧。（再说了，毕竟都好几十岁了，两根弦总比五根弦学起来容易啊。）

硅谷日记（33）2020.4.1

一大早天还挺凉的，只有46 ℉，大太阳照到中午，气温升到了62 ℉ 。后院我钟爱的叶子花，最后的几片叶子，也要凋零了；我在伤感的同时，把她最后美好的样子，存在心里。

全国瘟疫确诊病例到了二十一万多，死亡4766人。我们County确诊病例升到924人，死亡32人。

股市在结束了史上损失最惨重的上一个季度后，又以今天4.4%的降幅开始了新的季度；这不是愚人节的笑话，更没有人笑得出来。

总统还在每天搞记者会。虽然我对他有很多方面的不满，也觉得他在抗疫方面有误国误民之责，但有一点我要表扬的：毕竟他这么大年纪，也没有在最危险的时候躲起来；从这一点说，我还敬他是条汉子。

联邦政府医疗设备的储备将近用光了，而抗疫前线还需要更多。新的生产线也还要好几个星期才能出产品。真急人啊！苹果公司给纽约州捐献两百万个口罩。致敬苹果！

学生都在家上课，谷歌给加州学生提供了几千台电脑和十万个WiFi access points。感谢谷歌！

加州州长号召退休医护人员加入抗疫队伍，两天内三万四千人报名。旧金山把志愿者和老人及残障人士联系起来，为需要帮助的人提供服务。感谢你们！

该打球了。

硅谷日记（34）2020.4.2.

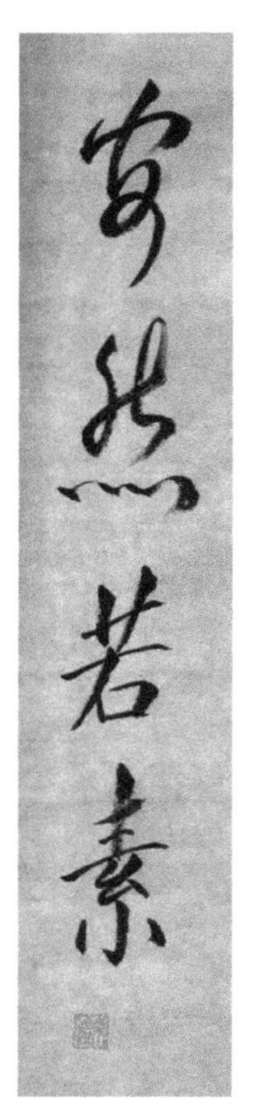

又是阳光灿烂的一天，前院的牡丹正含苞待放。

瘟疫的面孔一天比一天更狰狞。瘟疫确诊病例全球超过了一百万；美国一天内又增加了两万，死亡人数一天增加了上千人。加州确诊病例超过了一万，我们County超过了一千。纽约的呼吸机还够再支持六天。六天！而瘟疫的高峰还在前面。军方将提供十万个尸体袋 (body bags) 用于民用。

短短两周内，一千万人失去了工作，而这还仅仅是开始。突然之间，多少个家庭、多少个孩子将要承受多大的艰难！

我很愤怒。这真的是完全无法避免的天灾吗？我相信，很多人都在思考这个问题。

国会今天成立了一个专门委员会，监督和调查联邦政府的抗疫工作，应该算是问责的正式开始吧。

我希望，每一个国家都会去问责，去反思。

股市今天涨了百分之二。很多企业都面临困境，川家的铺子也在跟银行讨论延期付贷的事情。

民主党的党代会也延期到八月中旬了，到时候能不能开成还是个问题。

FDA今天批准了一个测试，可以检测你是否已经有了免疫力；这是一个很大的进展。

今天脑子里多次出现一个词，“安然若素”。“若素”怕是不可能的了；尽量争取安然吧。

硅谷日记（35）2020.4.3.

早晨村头公园，就像上面的天一样空寂，小鸟嘁嘁喳喳的低声细语中，偶尔会夹杂几声乌鸦的鸣叫。

全国瘟疫确诊病例将近二十八万人，死亡人数7162人。过去一周内，我们County确诊病例增加了一倍，死亡人数增加了一半。加州156位医护人员被感染。最严重的还是纽约州，确诊病例超过十万，过去三天死亡人数翻了倍，已经超过三千人了。

Frank Boccabella是第一个死于此次瘟疫的机场安检人员，在39岁这个大好的年纪，离开了世界。向他致敬！

经过这么久的讨论，CDC终于正式建议大家出门戴口罩，但总统马上说他不戴，说戴了没法见外宾。（瞧瞧人家搞reality TV的，首先想到的是啥。这时候谁还来见你啊？）戴口罩的事讨论了这么久，原来是有人反对。CDC还说，一般的布料口罩就可以了，不要跟医护人员抢医用口罩。加州做戏装的厂开始做口罩。

股市又降了近百分之二。时而狂风暴雨，时而细雨淋漓，这样一天天降下去，就成了深渊。纽约市设了几百个赈济点，任何人都可以去免费用餐。加州在酒店准备了七千个房间给无家可归的人。

最高法院取消了庭前辩论，将基于书面材料断案。加州议会158年来第一次延长春假。

多家国际媒体报道，俄国一位美丽的眼科女医生（是的，眼科医生），Dr. Anastasia Vasilieva, 也是那里医生独立工会的头头，吹了哨子，揭露当局谎报疫情数字，昨天在去莫斯科郊外几百里贫苦乡村送口罩的路上，被警察抓了，关了一天，训诫了一番，又罚了相当于20刀的款。俄国那地方咱没去过，听说那里主事的以前叫沙皇，现在改了个比较时髦的名，叫“总统”，总之都是可以一手遮天的。他们普总统在莫斯科郊外的别墅里，高度赞扬医护工作者坚守抗疫第一线（“holding the line of defense against the advancing epidemic”）……呵呵，多么令人鼓舞啊！

昨天心乱，欲写字不能，今天再试试。

硅谷日记（36）2020.4.4.

早上起床的时候，天边还是霞光四射；慢悠悠吃过早饭，再看外面就是乌云密布了。赶快给车子打上气，趁没下雨出去骑了一圈。路上空空如也，公园的网球场都锁起来了。偶尔看到散步的人，还是没几个戴口罩的。

全国瘟疫确诊病例一天又增加了三万多人，到了三十一万人；死亡人数一天增加一千多人，到了8538人。我们County确诊病例到了1109人，死亡39人。纽约州还是重中之重，确诊病例超过十一万人，已经有3565人被病毒夺去了生命。

马云和蔡崇信捐助的1000台呼吸机在关键时刻从中国运到纽约。感谢阿里巴巴！Oregon州也主动给纽约140台呼吸机。已经有八万五千名医护人员志愿报名到纽约抗疫第一线，其中还有两万多人是外州的。致敬！

骑车回来，练了一会儿琴，饭后小憩。开车到山里，蒙蒙细雨中在山间小径上独步，一边观花赏草。

最近有很多有关“反思”的帖子。我一边走，一边反思“反思”。这个月刚好是Chernobyl核事故34周年，那么大的灾难，那么多的反思，带来进步了吗？今天俄国（及其小伙伴们），对付瘟疫仍然是三部曲：官僚隐瞒，百姓作难，鼓动宣传，高歌向前；这是其对民众傲慢的必然结果。再看美国（及其小伙伴们，像英

国），眼睁睁看着灾难发生，有些地方还无动于衷，“可控”成了“失控”；这是民众对自然傲慢的结果。官对民的傲慢，民对天的傲慢，是根本性的问题；文人士子的“反思”，虽然很深刻，很慷慨激昂，但对这些根本性的问题很难有实质性的影响，起码它的进程是极其缓慢的。

晚上，雨下得更大了。

硅谷日记（37）2020.4.5.

前院的玫瑰花也要开了，在雨中更显得妩媚。

全国瘟疫确诊病例到了近三十四万人，死亡人数到了9686人。联邦总医官说下个星期会像是“珍珠港”。

纽约的情况依然很严重，今天又有六百多人因为病毒失去生命。估计高峰就在下周。呼吸机还是严重短缺，医院的护士都在练习如何把一台呼吸机同时给两个病人用。空军和海军派了1000名军医支援纽约。

华盛顿州把之前从联邦政府得到的421台呼吸机又拿出来给更需要的州。苹果公司又捐赠了两千万只口罩，同时还在做保护面罩给医护人员用，计划每星期供应一百万只。旧金山YMCA给医护人员的孩子提供服务。感谢！

最辛苦的还是第一线的医护人员。他们没有足够的防护用品，冒着危险抢救病人，还害怕传染家人，很多人下班后就睡在自家的车里或者酒店里。向他们致敬！很多志愿组织在给医护人员提供住宿。

在这个主日，恳求主保佑在抗疫前线的医护人员！

《纽约时报》发了一篇长篇报道，讲述华人社区的情况，虽然由于之前川某的误导，华人受到了骚扰，很多华人团体还一直在积极募

捐，为医院提供保护用品。

《华盛顿邮报》和美联社有翔实深入的调查报道，讲述联邦政府如何耽误了两个月的宝贵时间。误国误民，莫此为甚！所幸加州（特别是我们County）较早采取了果断措施，不然会更惨烈。感谢州长Gavin Newsom和我们County的总医官Dr. Sara Cody！

民主党和共和党近百名前政要公开呼吁中美合作抗疫。我一周前日记里也弱弱地说了这个意思，不是先知先觉，而是我朴素的直觉。

今天，我们家给附近的医院捐赠了五十只口罩。当医院门口值班的女士向我表示感谢时，我竟然差点流出泪来；不是激动，而是羞愧：出了这么大的事情，而我唯一能做的就是躲在家里。我只希望里面的人们能知道：我很感激你们！

晚上雨还在下，在家里写字，打球，发呆。

硅谷日记（38）2020.4.6.

早晨，站在门廊下，听着细雨，看着前院的落花，想着过去几星期居家隔离的情景，不知为什么忽然想起了一千多年前南唐末代君主李煜“流水落花春去也”，“独自莫凭栏，无限江山，别时容易见时难”那几句词。

外面，瘟疫依然猖狂。全国确诊病例今天又增加了三万人，到了近三十七万人（包括一千多军人）；死亡人数一天增加一千多人，到了11059人。这一两天，纽约的数据显示好像有到了顶plateau的迹象。加州今天送500台呼吸机给联邦政府分配给急需的地区。一直在为设备短缺发愁的纽约州长，今天说他们的呼吸机够用了。

加州已有二百多医护人员感染。我们County确诊病例近一千二百人，死亡42人。County在会展中心建的方舱昨天开始接收病人。湾区初步数据显示曲线在拉平，但也有模型预测加州的峰值要到五月初才会出现。

川总统和他的竞选对手白登通了电话，讨论抗疫问题。令我吃惊（也很高兴）的是，总统说他们进行了非常好的对话。

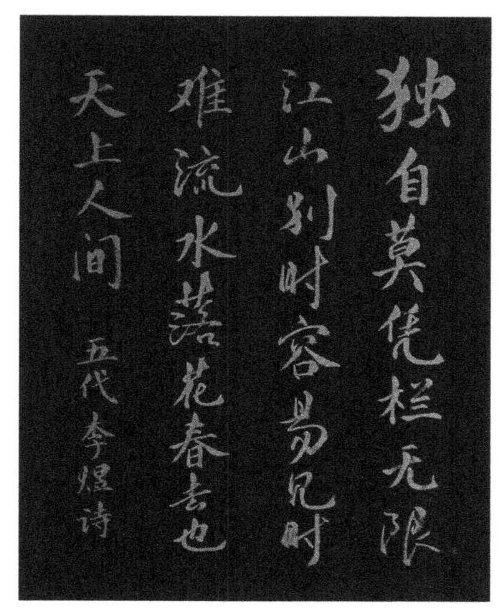

3M今后三个月将会捐赠1.7亿只口罩，Salesforce与阿里巴巴合作也捐赠了大批防护用品。感谢！

似乎看到了隧道尽头的一丝微亮，又听到国会开始计划新的一万亿的救市方案，股市今天猛涨了近百分之八。

Allstate说因为大家最近不用车，退15%的保险费。希望其他的保险公司也效法他们。

今天冒雨在村里走了三公里，晚上打球。

尼采说：“每一个不曾起舞的日子，都是对生命的辜负。”我们一起戴着锁链起舞吧。

硅谷日记（39）
2020.4.7.

春季的雨下完了，阳光普照，气温到了62 ℉。村头公园里，凉亭、长椅都被封起来了。

纽约今天的数据，给期待平台plateau的人们浇了一头冷水，今天有731人死亡，是单日的历史新高。全国确诊病例超过了四十万人（830：1），死亡12979人。加州确诊病例一万七千人（2350：1），死亡420人。

Twitter创始人Jack Dorsey捐出10亿美元（个人财富的三分之一）用于抗疫。Bill Gates, Oprah Winfrey, Jeff Bezos, Mark Zuckerberg等大小富豪都慷慨解囊。感谢！

纽约州长说，虽然有很多困难，但没有一个病人是由于缺乏医疗设备或医护人员而失去生命的。他在给国民自卫队的讲话中说，抗疫这个历史性的经历，将会塑造每一个人的品格，每一个社会的品格。这个话给我的印象很深。我们每一个人的人生，和我们整个社会的历史，都将被这场抗疫世界大战而分为前后两段。我们每一个人将会由此而不同；甚至，我们每一个人与他人的关系，也会由此而不同。

对失去的生命，对破碎的人生，我感到心痛。对联邦政府最高层的误导和CDC的耽延，我感到担忧，甚至愤怒。但我从没有感到恐惧，因为这些或有意或无能的过失，都立刻受到了公开的质疑和批评；分散的有限的权力和无时无处不在的法律约束，也会保证任何错误所造成的损失都会是非常有限的。而最能够使我淡定的，是我通过这场全社会的挑战，看到了这个社会里更多的爱，而不是幸灾乐祸的仇恨和苦毒。

我为这爱感恩。

硅谷日记（40）2020.4.8.

阳光灿烂的季节开始了，中午到了67 ℉。村头公园边上，沉寂了多日的小学校有了动静，家长开车排队给孩子领书本。

全国确诊病例超过了四十三万人，死亡14899人。我们County确诊病例一天增加95人，到了1390人，死亡46人。加州已有269位医护人员被感染。

纽约又经历了残酷的一天，779人死亡，再创单日的历史新高，至今已有6268人死于瘟疫（是911恐怖袭击中死亡人数的两倍多）；纽约和新泽西的死亡总人数超过了其他州的总和。而实际死亡人数可能更高，因为还可能有死在家里的人没有被统计进去。纽约州近十五万人确诊感染，超过了美国之外的任何国家。纽约市有六千多公交司机被感染，41位公交司机死亡，医护人员上班都成了问题。愿神保佑纽约！

令人失望的是，专家说夏季的到来对抗疫不会有太大的帮助，因为大部分地区都不会达到50℃的高温。

加州已经给医护人员提供了四千万只口罩（其中只有一百万只是从联邦政府得来的），还会再花近十亿美元，以后几个月每月进口两亿只口罩；这下子医护人员的口罩有保障了。加州还在跟一家公司合作，对口罩进行消毒处理后再用，已经得到FDA批准。四月

底之前加州还会得到一万台呼吸机。这就是加州的精神——不抱怨，靠实干！

一些商家乘人之危，哄抬市价，比如一只N95口罩卖10刀，受到各地警方的惩处。

股市上涨百分之三点多。GM八月份之前将会生产三万台呼吸机，价值近5亿美元。特斯拉由于汽车生意受损，高层减薪30%，中层减20%，员工减薪10%，其他无法远程工作的员工停薪到五月初。

一转眼，我“结绳记事”记录疫情已经到第四十天了。这样笨拙的方法，没有公众号的流量，没有美篇的亮丽，没有微博的粉丝群，才最适合我。我很幸运生活在这样的环境中，不需要我去揭露真相，也不需要我去为民请命，因为有人远远比我做得更好；别人的负重前行，使我可以苟且偷生。我唯一能做的，就是记下我的经历，我的感受；我唯一要做的，是每天有那么几分钟的时间，在这喧嚣的环境中，静下来，窥视自己的内心。

这样，我可以睡得更踏实。

硅谷日记（41）2020.4.9.

今天是个大阴天。村头的小学校还在发书本，可能是分批进行的。我早上散步到那边的时候，远远看见女校长正在培训几个义工。昨天发书本是从车窗递给家长，今天是放在车后备箱里，跟车里的家长不见面。这么简单的事情，因为瘟疫的威胁就成了这么复杂的程序，戴着口罩的校长和义工一早在那里演练。

瘟疫的威胁一天比一天更严重。全国确诊病例将近四十七万人，死亡16771人，每天死亡人数都将近两千。纽约一天内又有799人死亡，比昨天还多，死亡人数已经到了7067人。纽约市有2600多名警察被感染。

加州确诊感染人数超过了两万，死亡542人。确诊感染的医护人员大量增加，从一周前的138人到了目前的1803人。航空公司给来加州的医护人员免费，州政府提供住宿。愿主保佑前线的警察和医护人员！

央行推出两万三千亿美元贷款救市，股市今天上涨1.2%，经历了45年来涨幅最大的一周。过去三周内有一千六百万人失业，比上一次经济衰退时两年内的失业人数还多！

很多媒体和民众都在赞扬加州的Newsom州长，而川总统的表现使他们本党的人都为他竞选连任着急了。我看美国的政治社会，就像一场篮球赛，每个运动员都有机会施展本领，大家一起在比赛规则的约束下为团队的共同目标努力，而个别运动员（不管是哪个位置）的低劣表现对整个团队的负面影响是很有限的；同时观众也积极参与，看不懂的人会觉得眼花缭乱。我还是觉得，这样的篮球赛比俄国的阅兵有意思，虽然那里普京大帝一人呼风唤雨，人人步调一致，看似雄壮，时间久了还能有多少生命力呢？

今天读到一个日本江户时代叫良宽的读书人两百多年前说的一句话，说“平生最不喜欢书家的字，厨师的菜与诗人的诗”，因为这些大都太局限在技法层面上。这话给我多少带来一点儿安慰；既不是书家，无法达到技法上的完美，未必就是写字的末路，没准儿咱还可以追求境界呢。

硅谷日记（42）2020.4.10.

一大早天上是乌云密布，村头小学校一个人也没有。到了中午，大太阳出来了，气温到了67 ℉。

今天是抗疫大战中非常黑暗的一天。全球177个国家确诊病例超过一百七十万人，死亡超过十万人；过去一周内死亡人数翻了近一倍。美国确诊病例已经超过五十万人；今天有两千多人死于瘟疫，总死亡人数将近一万九千人。纽约今天又有近八百人被瘟疫夺去生命，死亡人数到了7887人，有些无人认领的尸体在一个小岛上临时群葬。新的预测说美国死亡人数最后会达到六万人。

加州确诊病例超过两万一千人（包括我们County一千五百人），死亡人数598人（包括我们County 50人）。加州一天内又有两百多位医护人员感染病毒。

军方拿出一千万只口罩给联邦政府。防护用品的紧缺逐渐在得到缓解。

经济的压力一天比一天严重，更多的人失去工作，包括三万多名新闻工作者。

《纽约时报》今天的一篇报道说到俄国，说那国的President通常有点儿大的事是极爱在前面造声势露脸的，而如今在疫情到来的时候就去郊外别墅了，由他们的Prime Minster来领导抗疫。呵呵，这《纽约时报》真是没见过世面，有什么大惊小怪的。

今天是耶稣受难日，一千九百八十七年前的今天，耶稣在十字架上说："父啊，赦免他们，因为他们所做的他们不晓得。"饶恕，就是爱。饶恕，是人生的功课——饶恕自己，也饶恕别人。

硅谷日记（43）2020.4.11.

今天又是很美的一天，跟昨天一样暖和。听说封山了，就没打算去山里。上午练《花儿与少年》，中午休息后出去放风，骑车转了一个多钟头，路上看见戴口罩的人多了。看着外面太阳那么好，禁不住想出去干活，剪了后院的草。这片巴掌大的地方，原来是个游泳池，后来孩子长大了，用得很少，“沧海变桑田”，就成了草地。

大家都在期待拐点的到来。全国死亡人数到了20594，是全球最高的，六天内翻了一倍。加州确认病例超过两万二千人，死亡633人。瘟疫好像稍微有点儿减慢的趋势。

一批加州的医生飞去东岸，支援纽约。致敬逆行者！愿主保佑你们！期待你们平安归来！

为了进一步缓解防护用品短缺，国防部启动了《国防生产法》，要用一亿三千多万美元订购近4千万只N95口罩。

海边Santa Cruz警察给七名外地来闲逛的年轻人开出了每人1000刀的罚单，估计这下子能在家里呆得住了。

餐馆和学校都关门了，农民的有些新鲜产品卖不出去，每天倒掉四百万加仑的牛奶。瘟疫的影响真是无处不在。

我最近也从几个微信群里自我隔离出来了，主要是怕我的下意识会去影响几个好朋友在我记忆中的形象。等瘟疫过去再说吧。

硅谷日记 （44）2020.4.12.

这一周每天天气的一个特点，就是以阴天开始，到了中午太阳才出来；而一旦出来，就是光芒万丈，万道霞光。

上午复活节敬拜在线上进行。“耶稣说，我就是复活和生命。”（约翰福音11：25）愿主保佑所有正在经历苦难的人。

今天全国确诊病例增加了两万八千人，又有1473人丧生。好像曲线开始平缓下来了。

中午小憩，下午开车十几分钟到山里放风。天很暖和，可见度

很好，从山上一眼望去，湾区尽收眼底。上上下下走了七个半公里，小径上一只小鼠，一动也不动在晒太阳。路边，金州（加州又叫Golden State）的州花 金英花（Golden poppy）开得正艳。

一边走，一边在想最近读到的媒体揭露川总统在抗疫方面误国误民的行径，同时也都在夸赞加州地方政府领导有力，最大限度减少损失。窃以为然。

其实，美国社会也是讲“家丑不外扬”的；只不过，“家”指的是严格意义上的“小家”，也就是privacy“隐私”的意思。把这里的“家”做任何程度的扩大，到“大家”，教会，学校，甚至“国家”，我都会持以极其怀疑的态度。稍微用脑子还没进水的那块儿想一想，就会发现，在任何一个群体里，“丑”的受害者大多是这些群体中的弱势者。过去几十年天主教会发生的大规模性侵的事情，不就是因为“家丑不外扬”而到了不可收拾的地步吗？有多少人的一生都被毁掉了？！这样的例子比比皆是，在某些地方尤甚。当这些群体的头面人物（一般是通过他们伪装成下层人士的代言人）叫嚷“家丑不可外扬”的时候，我会说，呵呵，用了几千年的把戏又来了。而当这些群体里的弱势者也跟着叫“家丑不可外扬”的时候，我只能说，可悲呀！我稍微仰起头看看井外的天地，就很容易发现，大家公认的先进发达的社会，都在“自扬家丑”，因为扬丑可以使社会进步。外扬之丑，为一时之丑；不扬之丑，乃长久之丑。此所谓“虎行似病”也。

“扬丑 = 扬善”（又一条“东恺定律”）。那些扬丑的人们，只要你们讲的是事实，实际上都是在保护我；我永远感谢你们。

回到家里，正是夕阳照满了屋子的时候。当又一天要平安过去的时候，我要感谢那些负重前行的人们。

硅谷日记（45）2020.4.13.

一大早出门在村里遛弯儿，浅蓝的天上飘着淡白如絮的云朵，残月还高高地悬在空中。我们村是周一收垃圾，垃圾车到每家门前抓起垃圾桶把垃圾倒到车里。村头公园空无一人，刚好一辆警车开过来停在网球场边上，因为这几天还有人在打球。看来要动真格了。

全国感染人数今天增加了5.6%，死亡人数增加了7.3%，都比之前的增速要低。纽约还是重灾区，纽约市确诊感染人数超过了十万人，纽约州死亡人数超过了一万人。各种迹象都表明，病毒的传播在逐渐变慢，这几天的曲线都稍平缓了一点儿，但峰值还没有出现。

坚持岗位的邮递员有一千多位已经被感染病毒，20人已经失去了生命。致敬！

最高法院说，五月份法庭辩论要用电话会议的形式进行，其中一个重要的案子是关于川某过去多年的报税表的。

股市还在下降。Google公司和CEO个人分别捐献一百万美元，帮助湾区生活困难的家庭。感谢！

在天灾人祸面前，人间大爱的彰显使我感动，但没有让我

惊奇。相反，一些角落里一些人群中发出的仇恨，却是怵目惊心。一些长期逆来顺受的人，内心积累了深厚的苦毒，把他们从来都不认识的人群作为发泄仇恨的对象，来得到心理的平衡；他们其实是很可怜的。而一些卑鄙的政客，为了掩盖失职和无能，或亲自出马，或通过代言人，挑动仇恨，一则转移视线，二则通过仇恨带来的恐惧使民众向当权者身边靠拢；这是他们惯用的手段。美国一些政客挑动民族仇恨，就是典型的案例；世界上其它地方，这样的例子还有很多。而社会的进步，就是用更多的爱，去一点一滴地化解仇恨。

今天整天都很暖和，到了74 ℉。从窗户看出去，前院小路边一团粉红色的花，在阳光下开得正好看。

硅谷日记（46）2020.4.14.

天越来越暖和了，今天到了76 ℉。早上在村里转悠，正赶上清洁车在清扫街道，我才知道周二是清扫街道的日子。

全球确诊病例突破两百万了，死亡近十三万人。全国确诊病例一天又增加了两万五千人；死亡增加2190人，到了25758人（遍布全国五十个州）。纽约州确诊病例超过了二十万人。纽约今天把没有确认为新冠但很可能是新冠死亡的人数也包括在死亡人数统计里，这样纽约市的死亡人数超过一万（这样的算法增加了17%的死亡人数）。加州的感染人数过去两周翻了一倍，到了两万五千多人。

全国已经有九千多位医护人员被感染，27人丧生。致敬！

两百二十万军人中，已有两千六百多人确认感染。航空母舰要留在海上，以避免瘟疫。

股市今天上涨了3%左右。预测说美国经济今年要收缩6%，比2008年的大衰退（收缩4.3%）还要惨烈。加州至今已经花了五个多亿用于抗疫。由于税收减少，开支增加，全国百分之九十的市将要出现财政赤字。

昨天川总统在新闻发布会上说，他有“绝对权力”决定什么时候复工，还趁机大肆宣扬总统的权力，他说了算，州长们没有他的批准啥事也做不成，云云。结果被两党的许多州长、议员给上了一堂宪法教育课，纽约州长说“我们这儿没有皇帝。”宪法清清楚楚地把这样的权力留给了州长。人家川总统今天就改口说，他要“授权”给各个州长做决定。哈哈……如此无知加无耻的巨婴加小丑，好在有民主制度来约束。

车库的发球机每天晚上用，开始出现疲劳，今天机器卡壳了，鼓捣了半天。

硅谷日记（47）2020.4.15.

一大早的电话会议临时被取消了，趁机出门在村里散步。一圈走了三个半公里，没看见几个人。天稍有凉意，更感觉到太阳照到身上的温暖。空气清新而湿润，每一口呼吸都沁入心脾。一路上最享受的是鸟鸣交响的天籁之音。

回到家里，前院的牡丹在旭日的照耀下显得更动人了。白天呆在家里上班，中午天很热，到了83 ℉，这是夏天的气温了。

这一天，全国确诊病例又增加了近三万人；死亡增加2545人，到了28312人（其中40% 在纽约州，3% 在加州）。

联邦政府一月份就得到了警告，二月份还不动手，现在着急买N95口罩，一只要5刀，是二月份时8倍的价钱。

川总统跟WHO又干上了，要停经费，遭到很多人的批评。国会通过的给经济受影响的家庭的补贴，因为总统要在支票上加上他的名字，可能要延迟；以前从来没有总统的名字要在支票上出现的。唉……

看到总统在记者会上经常恼羞成怒、气急败坏的样子，我要致敬那些敬业的媒体人：民主靠你们对真相的执着追求。

三月份制造业受到了七十年来最惨重的打击，四月份还会更惨。零售业三月份降了8.7%，服装店业务降了一半。银行上个季度的利润降了将近一半。股市昨天涨上去那点儿今天又降回来了。川家的铺子也有2500人歇工或失业。

洛杉矶市说可能取消今年全年的大规模体育娱乐活动。

虽然在这个灾害中我并没有受到太大的直接影响，这么多天来还是觉得情绪很低落。以前经常会出现要写几句诗的冲动，而现在只有“结绳记事”的心力了。希望将来还能重新点燃诗与远方的激情，不知道未来会把我带到什么地方……

硅谷日记（48）2020.4.16.

在家隔离整整一个月了。

今天是工作非常忙的一天。好像早上是多云，后来云开日出。没有昨天热，气温回到了70℉。前院的玫瑰花越开越盛了。

全国确诊病例一天增加了三万四千人，到了将近六十八万人；纽约州人口的1%、加州人口的0.07%已经被确认感染。全国三百三十万已经受测试的人中，20%确认阳性。今天全国又有2360人死于病毒，总死亡人数超过了三万人。

曲线平缓下来了一点儿，大家迫不及待地开始讨论复工的问题。有一条基本的共识：要复工，必须要有大规模快速测试的能力。目前只有人口的1%测试过，这是远远不够的。

Facebook取消了明年七月份以前所有超过50人的聚会。

俄国那边，早已计划好的“宪法修正案公投”，本来是要确认已经掌权20年的普京大帝，可以连任到2036年（84岁），现在这事也被瘟疫搅黄了。真扫兴！明年再说吧，反正就是走个过场，啥时候都行。

今天看到了一句话，“A weak person blames others”，无能的领导总是在指责别人。看看川总统的表现，对比俺加州Newsom州长，就知道这话是确切的。

上周又有五百万人失业，过去四周内共有两千二百万人申请失业救济；失业率在15%左右，是几十年来最高的。三月份与焦虑症相关药物的使用上涨了35%，看来有压力的人还不少。

有一点是可以肯定的：世事无常，大变将至。

要淡定。

硅谷日记（49）2020.4.17.

前院的牡丹一夜盛开，一花独放。这么多年来，这是我第一次在这个季节有这么长的时间不出差，可以一睹芳容，我陶醉其中。下午的阳光照到后院，感觉像到了夏天。

瘟疫还在横行，全球已经有十五万条生命被病毒吞噬。全国确诊病例超过了七十万人，死亡36822人。纽约市死亡人数超过一万两千人，加州死亡人数超过了一千人。面对如此的残酷，我对病毒感到恐惧，为亡者感到悲哀，对这举世悲剧中的人祸因素感到愤怒；是的，愤怒！

加州三千多医护人员被感染。致敬！

川总统今天又一次抱

怨纽约州长没有感恩。纽约州长说，你就是做了本职工作，还很不到位，还要我感谢多少次？劝总统别总看电视了（而且还只看那一个频道），也干点儿正事。此情此景激起了我对总统的无限同情。他每天眼巴巴地看着姓普的，姓金的，等等，人家就能翻云覆雨，自己咋就得受媒体质问呢？像感恩这样的事情，本该是下面的州长、市长主动提前安排好的，哪还要自己出来一次次要求呢？还要竞选，搞个终身职多爽啊？真是生不逢地啊。

好几个州还有人在川总统的鼓励下，集会抗议州政府的隔离令；川总统号召"解放Minnesota，Michigan，Virginia"。这应该是举世无双了，只能留给历史去评说。

加州连续十年的就业增长在上个月结束了，三月初失业率就到了5.3%，四月份会更高。州议会预计今年的财政赤字会近千亿，跟上次大衰退的情况差不多。

看到曲线开始平缓，股民有所反应，股市略有上升。

今天傍晚跟团队搞了个网上Happy Hour。好希望自己在这场风暴过后，不但身安，而且心安。

一瓶上好的墨汁用光了，又要开始研墨了。静下来的时候，很思念远方的朋友。

硅谷日记（50）2020.4.18.

天凉下来了一点儿，还是以多云开始。前院，牡丹开得更盛。

一大早来到山下，只有溪流哗哗的声音伴着鸟鸣。小径上还没走多久，前面一群野兔和鸟拦在路上。我在山里上上下下，走走看看，三个小时走了九公里。偶尔遇上个人，远远就让到路的另一边，弱弱地说声Good morning。戴口罩的人越来越多了。中午的时候，云散日出，站在山顶可以看很远。

病毒的疯狂一刻也没有停歇，全球死亡人数超过了十六万人。全国确诊病例到了七十四万人，死亡人数到了38836人，包括加州1148人和纽约州17627人。曲线在继续平缓。

加州又给密西根州送了50台呼吸机。加州目前一个很大的问题是有十三万人无家可归；州政府今天跟Motel 6签了一万五千间汽车旅馆的房间，给高风险的无家可归人士提供吃住。

经济持续下滑，今年的联邦政府财政赤字估计会到四万亿刀。

中午小憩，下午出去买墨汁，店门外两米间隔排队，每出来一个人，店员会叫下一个顾客进店，这样店里面不会有太多人。买了墨汁，从店里出来顺道去加油，油价降到了两块六。

据说今天有全球的慈善音乐会，可惜俺家没有电视，不过还是要向这些艺术家致敬。全世界的芸芸众生都是无辜的受害者，人类的大爱会超越国界。

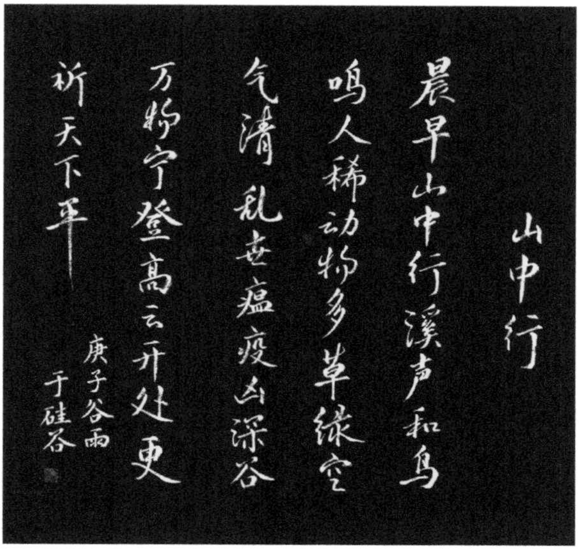

在山上的时候，瞎诌了几句打油诗，曰：“晨早山中行，溪声和鸟鸣。人稀动物多，草绿空气清。乱世瘟疫凶，深谷万物宁。登高云开处，更祈天下平。”愿天下平安。

硅谷日记（51）2020.4.19.

今天是美丽的一天，整天都是艳阳高照，蓝天上的白云一动也不动，气温70 ℉，感到无法言表的舒服。前院的牡丹婷婷玉立，使我不忍离开。

周末的福利是可以睡个小午觉。下午出去骑车一个多钟头，微风吹拂，很是惬意。

主日敬拜在线上进行，求主保佑在瘟疫威胁之下的人们。

全国死亡人数超过了四万人，其中包括我们County的73人。加州确诊病例超过了三万人。纽约每天的死亡人数在连续下降，高峰已经过去了，可以看到漫长黑暗隧道尽头那点儿微弱的光了。

今天在油管上看昨天全球艺术家的慈善音乐会。下午骑车的时候，看到路边有人做的标牌，“THANK YOU ESSENTIAL WORKERS”，感谢在一线负重前行的人们。他们是前线的医护人员，和救火队员，急救队员，警察，新闻工作者，生产工人，托儿所教师，公交司机，邮递工人，快递，清洁工，科研人员，超市员工，农场工人，厨师，志愿人员，政府工作人员，等等，等等。向你们致敬！

不久以前可能还是不可思议的事情——纽约州现在允许线上办

理结婚手续。

更不可思议，而且令人心酸的事情——加州一位女性受到性侵，报案后，警察把证据收集DIY kit送到她家门口，然后由警察和护士远程在线指导她收集证据。

这场天灾人祸的瘟疫，给我们全人类的生活带来了多大的变化！

再过几个月，瘟疫可望得到控制。但这并不是有人说的胜利，也不是有人说的win. There are no winners。而且，我更担心的，是心灵的病毒瘟疫还刚刚开始。前一段时间，某些角落里某些人表现出来的令人毛骨悚然的仇恨，使很多原本心存友善的人都心凉了。在更高的心理层面，还有不少人有了更深的不信任感和不安全感。后瘟疫时代的逆全球化，可能主要不是由于经济原因驱动。这个心灵病毒pandemic可能会在更长的时间造成更大的创伤。希望我的“先天下之忧而忧”只是“杞人忧天”而已。

祈望爱能跨越仇恨的鸿沟，带来和平，带来平安——由爱而和，由和而安。

硅谷日记（52）2020.4.20.

海岸地区的天气特点就是每天以多云开始，到中午才能大晴，下午像夏天，晚上又会凉下来十几度。上午又到前院观赏牡丹，久不忍离。

万恶的病毒还在残害无辜，全球确诊病例到了两百五十万人，死亡十七万人。全国确诊病例超过八十万人，死亡42778人。

很多医院忙于抢救瘟疫病人，使其它疾病的患者（包括癌症）都无法得到应有的医治。这应该算是瘟疫的“次生灾害”吧。

好几个州都还有人在抗议抗疫隔离令，在川总统的煽动下更猛了。加州Newsom州长说，我们的决定要看几个因素：健康，科学，数据。很高兴俺住在加州，没的说。

听说油价降了，因为油多得没地方装，要倒赔，闹得股市降了2.5%。餐饮业预计今年会损失两千四百亿刀，40%的餐馆已经关了门，行业三分之二的员工（八百万人）失业。

在家上班还这么忙，好像我这个月掉了几磅。

不知道别人对这瘟疫的事情都咋想的，反正俺觉得人要有敬畏之心：当官的要敬畏老百姓，对老百姓的傲慢不收敛迟早会出事；做人的要敬畏天（也有人叫“自然界”），对天傲慢的人早晚要吃亏。连古时那么傲慢的皇帝老子都知道对天的敬畏；不要以为我们现在能上天入海，人工智能，就可以藐视上天。敬天敬人，永远不会过时，反正俺相信。

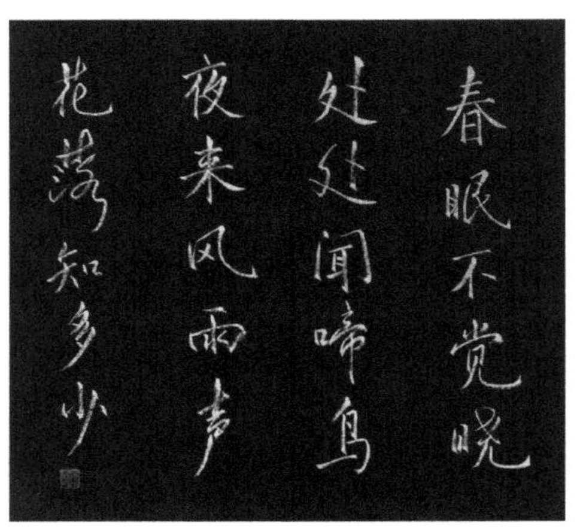

硅谷日记（53）2020.4.21.

你若问我，
什么是春天？
我说，春天就是
从一花独放，
到百花争艳

趁早上电话会议的间隙，在村里转了一圈，这是我最享受的事情——听着鸟鸣的交响乐，看着一路上盛开的花。咱前院小路的两边，玫瑰跟牡丹在争芳斗艳。

全国死亡人数升到了45387人。纽约，新泽西和Connecticut那相邻的三个州，占了全国死亡人数的一多半。从发展态势来看，从纽约，到加州，到我们County，都已经过了高峰期。纽约州允许有些医院恢复常规的门诊和手术。加州州长和County领导都一再强调，我们一定不能松懈。支持！

全国已有近万名医护人员被感染。致敬！

大规模快速测试将是恢复经济的必需条件。FDA批准了首例可以自己在家采样的testing kit。

很多学校在讨论秋季能不能开学的问题。今年的Spelling Bee全国学生拼写比赛，自二战以来第一次被取消。

经济方面的负面消息连连不断。上个月房屋出售额降了8.5%，是五年来最大的降幅。养猪业已经亏损了五十亿刀。迪士尼解雇了二十万员工的一半。

虽然国会又达成了五千亿美元的新的救市方案，股市今天还是降了百分之三。

一个冷落已久的职业开始热起来

了——家庭接生婆。

今天白宫的记者会，媒体报道说川总统撒的谎没有原来多。这应该也算是个进步。希望继续努力，增强文化自信。

媒体还在说普京因为瘟疫的事情取消了二战胜利75周年的庆祝活动，虽然已经为这个活动进行了大量的准备工作；意思是说这还是个很不容易的决定，特别是对于人家普总统这样能一手遮天的人来说。是挺令人感动的，这如果是在北韩之类的地方，还不知道会咋样呢。

中午在家，煮了冷冻饺子作午饭，想起小时候过年吃饺子，现在真幸福。

越来越多的心理学家在讨论长期隔离对人们心理健康的影响。我想呢，第一，要感恩；第二，多做多想开心的事情；第三，做有意义的事情；第四，尽可能地保持正常的生活和跟外界的联系；第五，坚持锻炼。

硅谷日记（54）2020.4.22.

早上，从窗户看出去，被前院的一幕惊呆了：心爱的牡丹花把枝压断了。她依然是美丽的。

全国死亡人数升到了47981人，包括加州的1439人。而实际的死亡人数更高，因为初期很多死亡的，当时并不知道是死于新冠病毒；最近刚出来的测试结果，说明社区传染的开始时间比此前所知道的更要靠前。

现在所知的美国第一例新冠病毒确诊病人是1月15号从国外回到西雅图的，很快病毒就传到了美国各地。而现在确认的全国第一例新冠病毒死亡病人是2月6日在发病数日后在家中厨房突然去世的，化验结果这两天才刚刚出来。这位57岁的女士生前在硅谷半导体企业Lam Research工作，之前身体状况良好，没有明确的接触史，只是提到说那家公司在几个国家的几个城市有分支机构，有可能接触过来硅谷出差的同事。

联邦财政部长说，估计八月底能大部分复工。专家警告说，到了秋后，新冠病毒很可能跟流感同时来袭，到时候情况会很严峻。

好像油价稍微稳下来了一点儿，股市涨了百分之二点多。

加州高速公路不堵车了，出现了新的问题——时速超过100英里的情况竟然还比以往翻了一倍；隔离一个月以来，已经开出了2493张罚单，而去年同期只有1335张。

白天气温到了77 ℉，到了晚上还感觉很热。伫立窗前，看着外面的黑暗，想到全国第一个被新冠病毒夺去的生命，她的生活工作环境，跟我们如此相似和接近；而她自己还不知道是怎么回事，就一去不返了。病毒的狰狞，生命的脆弱，使我止不住一阵唏嘘。

硅谷日记（55）2020.4.23.

在这青黄不接的季节，前院的枇杷熟了。这是我春秋两季喜爱的水果；而且，不用跟松鼠抢。

今天因为生产口罩的事情，去了车间。高速公路上，虽然不堵车，但车还是不少。

全国死亡人数超过了五万。昨天加州有115人死于瘟疫，是死亡人数最高的一天；总死亡人数到了1469人。我们County确诊病例超过了两千人，但实际感染人数要更多；死亡95人。这些冰冷的数字后面，是一个个破碎的家庭。

加州3877位医护人员被感染。今天又送了一批医护人员去支援纽约。致敬！麦当劳为前线的医护人员推出免费餐。

过去五周里，失业人数到了两千六百万，有六分之一的人失业，达到了上世纪三十年代大萧条的水平。这些数字后面，又是一个个生活艰难的家庭。

今天几百名国会众议院议员，从全国各地回到首都DC，带着口罩，辩论投票，通过了此前参议院已经通过的五千亿美元的新的救市法案。

今天股市平静。

最近媒体揭露出更多的川总统的恶行，令我愤怒。二月底，CDC免疫与呼吸病中心主任，Dr. Nancy Messonnier，因为公开说CDC在为pandemic做准备，引起股市下跌，惹怒了总统，要卫生部长开除她；后来虽然没有开除，但她受到排挤和冷遇，给其他人带来了很大的顾虑。上周，卫生部一位官员，Dr. Rick Bright，因为不支持川某人毫无依据地鼓吹的某种药，而被降职；现在该官员已经正式告发此事。历史会记下这丑恶的一幕；选民会记住这一笔帐。

还是练字吧。

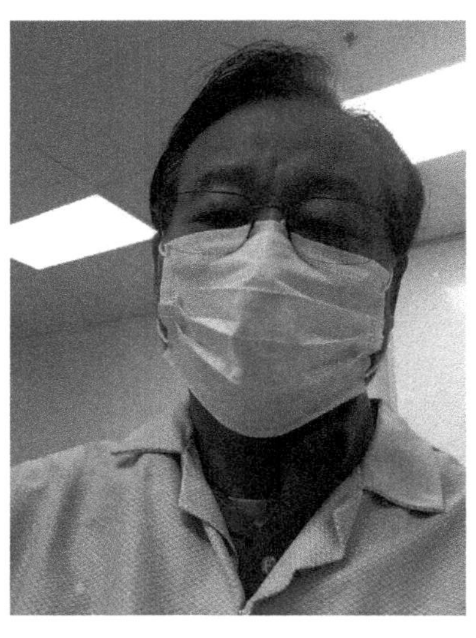

硅谷日记（56）2020.4.24.

今天完全是夏天的感觉了，气温到了83 ℉。前院小路边的小红花，显得素雅而娇艳。

全球已经有二十万人死于新冠病毒。在美国，虽然高峰已经过去了，每天还有两千人因为病毒丧生。加州确诊病例超过了四万人，死亡1597人。

如果我
无论出于何种动机
或以任何方式
或多或少地参与
为这天灾人祸中的责任者甩锅；
那么，那几十万的无辜亡灵
和我仅存的那点儿良知
还能否让我余生过得心安理得？

川总统最近每天都花两个多小时在白宫搞疫情记者会，做 reality TV出身的川某很为收视率骄傲。昨天，他说建议把光和洗涤剂注入人体来杀病毒。这么丧心病狂的说法，引起了社会各方的谴责（一两家御用媒体还在支持他）。今天的记者会，短短二十分钟就匆匆结束了，总统拒绝回答问题，落荒而去。

是的，最丑恶荒谬的事情
都可能在这个社会出现；
而唯一的不同（我希望，也相信）
在于有笼子，圈住这丑恶的魔爪

今天走过村头小学校的时候，不见了平时校园内外的生机；标示屏上，平时总是写满了各种活动通知，而现在只有简单的一句话：Wishing you health and happiness。我希望，健康和幸福，不只是在全球大灾难到来的时候才猛然想起来的事情，而是会成为每一天的追求。

硅谷日记（57）2020.4.25.

依然是夏天的天气，白天82 ℉。去山上放风的人突然多了不少，一多半戴着口罩。

全球已经有三百万人感染新冠病毒，其中三分之一在美国。全国每天死亡人数在下降，总数53748人（包括加州1689人）。看来高峰真的是已经过去了。

加州更多医护人员被感染，到了4453人，有22名医护人员丧生。他们是真正的英雄。致敬！

当这么多无辜平民因为病毒而丧生，当这么多医护人员在前线牺牲，我们的地方政府现在还要应对新的挑战。在川某的内服清洁剂对付病毒的论调出笼后18小时内，纽约市就收到五十起家用清洁剂中毒的报警；其它地方类似的报警也突然增加。总统搞了50天（每天两个多小时连周末都未停）的“高收视率”白宫记者

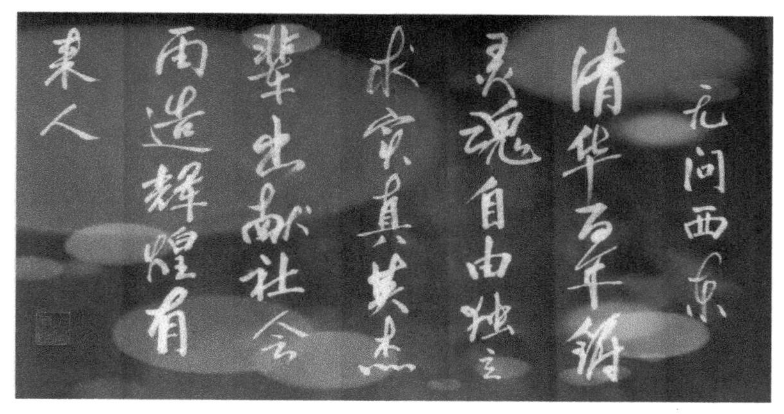

会，昨天二十分钟匆匆收场，今天突然停止了。历史会永远记住这一罪恶。

上午在山上转了不到八公里，中午回来吃饭睡午觉，下午开始自学一个二胡新曲子。傍晚的时候，通过线上课堂做瑜伽，感觉还挺好的。

到了清华校庆的日子，想到“独立之精神，自由之思想”，希望自己不要愧对先贤。

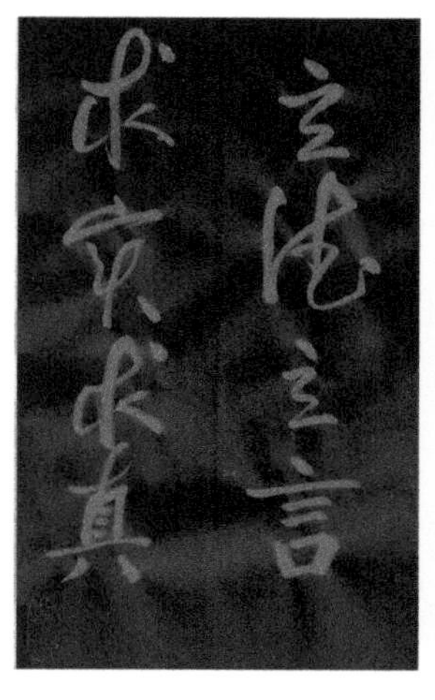

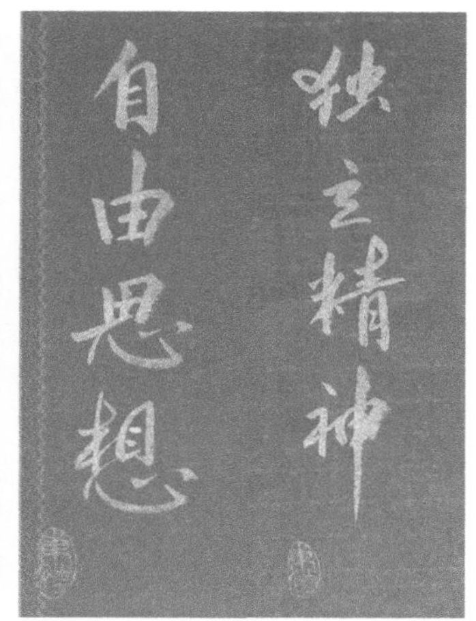

硅谷日记（58）2020.4.26.

天气凉爽了一点儿，比昨天低了4度。用《兰亭序》里的话说，叫“天朗气清，惠风和畅”。早上继续自学《烟花易冷》这个曲子；想着今天的全球瘟疫，吟着“城郊牧笛声，落在那座野村”，不禁唏嘘。窗外，一只美丽的小鸟翩翩起舞，蓝色的羽毛在旭日下闪着光。

外面的美好唤着我出了门。一个多小时走村穿巷，从San Jose，到Cupertino，再到Sunnyvale。路很平，我把自行车放到3x8。耳边的风声伴着一路上的鸟鸣，偶尔还传来远处的火车汽笛响。沿途有三三两两步行的男女老少，戴着形形色色的口罩，或者不戴口罩；偶尔还有跑步的，骑车的，遛狗的和遛娃的。还有人在自家前院，晒太阳，洗车，或者拈花惹草。一路上动着的汽车和行人一样多，一两辆公交车缓缓而过。从高架桥往下看，高速公路上那一瞥间有五六辆车飞驰而去。加油站依然冷清，大超市外面的

停车场稀稀拉拉地停着些车。苹果园旗舰店里，只有一个戴着口罩的保安在观赏自家的产品。路边又一家的房子上，挂着向一线essential workers致敬的横幅。

全国死亡人数到了55427人。加州医护人员有4593人确认感染。我们County一百九十多万人口中，确诊病例超过了两千人，死亡100人，目前住院患者163人。

今天主日敬拜还是在线上进行。祈求主怜悯正在遭受瘟疫苦难的人们，保守前线的医护人员，尽快医治这地。如歌里所唱的："不管夜有多长，黎明早已在那头盼望。"

周末的惯例还是睡个小午觉。下午干了几分钟最简单的活——在菜园土里埋了几颗蒜。晚上继续吃枇杷。

年龄越大，越怀念小时候的日子。走村穿巷的时候，就想到了小时候的村子。在家乡小村生活的十几年，塑造了我的初心；不是做指点江山的风流人物，而是我几十年来一直追求的：朴实，真诚，厚道，简单。这是一个贫穷乡村出来的孩子所无法挣脱的人生轨迹。

硅谷日记（59）2020.4.27.

依旧是湾区那完美的天气。一大早临窗写字的时候，外面就有一只小鸟陪着我。前院，八年前的那个春天我花了好几天的功夫平整出来的小花圃里，玫瑰花开得正艳，我也第一次有这么多的时间尽情欣赏。

瘟疫重灾区还在纽约州，确诊病例到了三十万，占全国的三分之一；死亡22668人，占全国的40%。由于医疗资源短缺，纽约市非新冠病毒死亡的人数在过去一个半月内比平时多了四千多人；这是多么严重的“次生灾害”。

昨天，Dr. Lorna M. Breen，纽约一家医院49岁的急诊科主任，以自杀的方式结束了她宝贵的生命。她以前没有精神科病史，一直在抗疫第一线，不幸被感染，休息了一周后又回到前线。她父亲说，最近一次跟她通电话，感觉她不太正常。愿我们永远记住这位美丽的白衣天使。她是英雄！

失业的人越来越多，纽约州赈灾food banks的需求翻了倍。

有十几个州宣布复工；股市涨了不到百分之二。由于食品业很多工人被感染，有可能出现猪肉短缺。

湾区六个County宣布七百万人口“全民宅”延续到五月底。支持！那些去海滩的人们，请你们赶快回家！

三年前我买乒乓发球机的时候，咋也没想到今天使用率会这么高。虽然技术没什么提高，锻炼的作用还是有的。

听人说，易经把人生智慧总结为三个字：“上”“止”“正”。我把这体会为：向上；知止；心正。我们今天可以有很多新技术，但两三千年前古人已经搞得很清楚的做人的道理，在今天还是放之四海而皆准。

硅谷日记（60）2020.4.28.

后院的枣树好像比其它的树都晚了一季，刚刚开了满树的绿叶，开花就不知道到什么时候了。 这枣树是我最期待的，种了好几年了还没有吃上枣。第二年只结了一颗小枣，当时我很激动，没舍得吃。第三年结了不少，都让松鼠吃了。今年，我跟松鼠都在等着。

全国瘟疫确诊病例过百万，死亡58978人。加州占全国人口的11%，确诊病例占全国4.5%，死亡人数占全国3.2%。隔离措施还是很有效的，必须坚持。

今天股市起伏不大。为刺激经济做贡献，我今天把用了五年的手机更新了。

上午正在工作的时候，WiFi忽然断了，趁机去村里走了一圈。我喜欢上午走路，可以享受一路上的鸟语花香。路上也没看见几个人，偶尔有车开过。

走路的时候，我还在想易经的人生智慧。“上”“止”“正”，每添一笔，都是人生的一个大台阶。“上”，是贯穿一生的事情，但在不同阶段有不同的内涵。“上”，并不是说要不停地考级、提升、挣钱、成名；而是说要持续做些有用的事情，不致浪费光阴。“止”字左边的一竖，就是“上”到山顶的时候峭壁边上的栏杆；知止，是诱惑面前有所不为的智慧，是舍得放下的心态。“正”字上面的一横，是为了平衡；心正，对人要真诚、厚道、同情、宽容，对天要敬畏和感恩。心正，是一门永远的功课，需要时时把心里的嫉妒、仇恨、苦毒、骄傲这样的病毒，一点点排出去，以达到超然淡定的心境。这三个字，就是人生的三部曲：上而立，需要适当的勤奋和自律；不惑而知止，是智慧的开始；知天命而正，则需要终生的修炼。

不经意间，这已经是第60篇了。感恩每天有一小段安静的时间，审视内心。

硅谷日记（61）2020.4.29.

有的植物是花而不实，如前院的玫瑰和牡丹；有的是春花秋实，如后院的桃树，枣树，柿子树；有的是一年多熟，如枇杷；有的是常年结果，如柠檬。还有朴实无花的，如后院的无花果，现在算是枝繁叶茂，就等秋天结果了。这些花果的生态系统中，又有蜜蜂，松鼠，和各种飞鸟，如蜂鸟，蓝莺，麻雀。上天给我们的赐予是如此丰富。

今天是美国新冠病毒零号病人求诊后第100天。至今，全国死亡人数到了61462人，过去五天内就有一万多人被病毒夺去生命。

上个季度美国经济缩减了近百分之五，是2008年大衰退以来最严重的，已经造成三千万人失业。下个季度，美国经济还要降40%，全球会有三亿人失业。今天，"人民的希望"给股民带来了一点儿希望，股市上涨近百分之三。

加州政府跟农场合作，每月把两千万磅农产品给赈灾粥棚food banks。

湾区七个县市把“全民宅”延期到五月底的同时，放宽了一些限制，允许一些行业开工，包括建筑业，苗圃，高尔夫球场，等等。湾区地方政府建立了五个指标，作为将来全面复工的条件，包括：新增病例和住院病人（连续14天平稳或下降）；瘟疫病人占用病床不超过所有病床的一半（连续7天）；每天每千人中有至少两人接受检测；90%以上确诊病人被隔离，他们90%以上的接触人被识别；所有医护人员有30天以上的防护用品。这些指标会即时发布更新。州长说，复工是一个渐明器，而不是一个灯开关。

在硅谷加州这样的地方，连政府官员都是这样有科学头脑。我要为他们点赞。

在这万物复苏的季节，面对席卷全球的瘟疫，我有担忧，而不焦虑；惟有感恩，而无恐惧。

硅谷日记（62）2020.4.30.

花开花落间，谷雨时节在悄无声息中过去了。前院那棵老藤树上，red brush千层红常年盛开，是很安静素雅的那种。我喜欢躲在楼上窗户后面，早上看松鼠在树枝上跳舞，上午有蜂鸟悬在空中气定神闲地从花中吸吮浆液，下午总有一群蜜蜂围着花采蜜。

瘟疫还在蔓延，全国确诊病例到了一百一十万人，死亡63741人。加州的死亡人数超过了两千人。新泽西州今天的死亡人数最高。

总统还在忙于甩锅，把远近前后左右所有的人都指责了一遍，为了掩盖自己的无能和无耻。

上周又有近四百万人失业，过去五周共有三千万人申请失业救济，失业率将近20%。实际失业人数可能更高，因为可能还有上千万失业的人没有去申请失业金，因为申请的手续很繁杂。第一季度消费降低了近8%，是四十年来最大的降幅。股市又降了百分之一点多。

今天比较凉爽，气温降到了76℉。在村里走路的时候，看到一个小女孩，一个人站在她家车库前的空地上，脸上带着灿烂的笑容，跟着手机里的音乐在做体操。看她那认真的样子，我猜想这可能是她宅家上学中的体育课。这段特殊的经历，一定会影响她的一生。

最近电话会议比平时还多。我跟世界各地的团队开电话会的时候，以前都只用audio，现在开了video，可以直接看到大家的情况，很欣慰。

今天读到海明威的一句话：“真正的高贵，就是优于过去的自己”。我想，这跟古人说的“上”是一个意思吧。

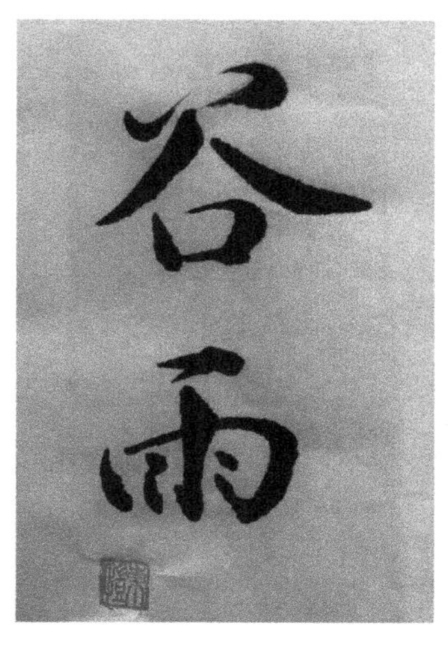

硅谷日记（63）2020.5.1.

今年必定是过得很快的一年，一转眼，这就进入五月份了。篱笆上面，跟red brush千层红相邻为伴的，是一树白色的花，很朴素的样子，静悄悄地开着，除了阳光和风，好像就没有得到过其它任何的注意。

瘟疫给我们带来了一个个令人心酸的里程碑。全球确诊病例到了三百四十万人，死亡二十四万人。全国死亡的人数，超过了美国在越战中死亡的人数。而全国因病毒死亡的人，有四分之一是老年养老院的。纽约的死亡人数已经是911 恐怖袭击中死亡人数的九倍。

尽管白宫声称全国有足够的试剂盒，谁想测试都可以测试，但

在三英里外Pennsylvania大道另一头，国会的医生说没有足够的试剂盒给下周一回来开会的参议员们测试。总统在白宫连续呆了五周，今天终于出门了，去戴维营过周末。

加州这两天又给前线的医护人员提供了五百多万个医用口罩。一定要保护好医护人员，因为他们在保护我们。

更多公司糟糕的报表，使股市今天又降了近百分之三。

争取劳工权利的游行是五一节的传统，今天依旧进行，只是游行的人们开着车，戴着口罩。针对隔离令的抗议活动也还在进行，州长提醒参加抗议活动的人们保护好自己。

感恩又到了周末，求身安，求心安。心安而正，心正乃安。

硅谷日记（64）2020.5.2.

早上起来，往窗外一看，两只松鼠，一黑一灰，正在尽情享用千层红的花。青黄不接的季节，松鼠吃的也比较素。

吃过早饭，开车十几分钟到山下。今天不太热，气温74 ℉，上午多云，在山里三个来小时走了八个半公里。山里的小路真多，回回次次山相似，次次回回路不同。今天走的这条路比较窄，一路上戴着口罩。中午回来的路上云散日出，下午阳光灿烂。

病毒传播速度普遍降下来了，好像暖和的地方瘟疫更轻一些。加州又有58人丧生，死亡人数到了2194人。

老人和有基础病史的人死亡率比较高，瘟疫夺去了这些人平均十年的寿命。

联邦政府听说国会没有足够的试剂盒，马上说要提供；国会没有接受，说要把急需的试剂盒留给最需要的人。

中午小憩后，跟着网课做瑜伽。柔，也是一种力。这是我最近才悟到的，可见心智之愚钝；不过犹未为晚。

晚上又凉下来了。站在窗前，看着外面的夜色一分分地沉下去，心里念着远方的朋友，慢慢地写几个字。

硅谷日记（65）2020.5.3.

今天全国又有两万六千人感染病毒，1224人被瘟疫夺去生命，死亡人数到了68326人。而实际的死亡人数可能更多，因为上两个月除了统计的瘟疫死亡人数之外，全国死亡人数还比平时多了13500人；这些人很可能也是死于新冠病毒，虽然当时没有能够确认。全球185个国家三百六十万人被病毒感染，死亡二百五十万人；八十多个国家的三十亿人在隔离。这是多么惨烈的人类灾难。在这个主日，求主怜悯我们，求主的大能早日医治这地。

“敬畏神是智慧的开端”。圣经旧约箴言告诫我们，要存敬畏之心；无论科技多么发达，我们都不可狂妄，不可傲慢。

在有些人抗议隔离令的时候，医护人员还在第一线战斗。下周，一百五十万只“人民的希望”药剂将会送到瘟疫病危者，由Gilead公司捐赠。

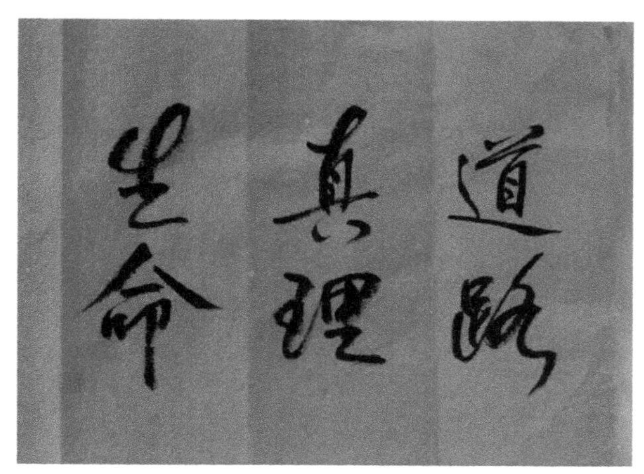

午后整天最热的时候，有七十多度，骑车出去遛了一个多小时。外面三三两两的人，或步行，或跑步，有孩子在公园草地上放风筝的，有在水泥地上溜旱冰的，还有一家大小出来骑车的，看上去比以前更有了些生气。

骑车回来给前后院剪草，主要是我想多花点儿时间在户外，草地也看着更顺眼了。傍晚的时候，开始自学一个新曲子《伴随着你》，好像有点儿难。

今天是“世界新闻自由日”。“一个健康的社会不应该只有一种声音。”感恩世界各地的媒体在各种艰难的条件下为我们大众呐喊。

硅谷日记（66）2020.5.4.

立夏到了，气温天天上升，今天到了77 ℉。唐人高骈《山亭夏日》云："绿树阴浓夏日长"，"满架蔷薇一院香"。当然是玫瑰、牡丹比较引人注目；我到现在才注意到，原来柠檬树也是开花的，和相邻的橙子树开的花很像，而另一边柿子树的花，到我看到时，已经由盛入衰了。这么多年了，我还是第一次有机会这么尽意地观花赏草。

早上花了四十多分钟在村里走了大概有四公里，前前后后看见不到十个人，却是多姿多态的：跑步的，甩臂迈步的，拉着狗的，打着电话的，双手在口袋里的，捧着手机的。

在某些人对隔离令的抗议声中，在几个州吵吵嚷嚷的复工声中，全国确诊病例过了一百二十万，死亡人数到了69655人。

一个多月前，当纽约危急，急需志愿人员时，Paul Cary开车27个小时，驱车1800英里，从Colorado奔赴纽约。四天前，这位66岁的汉子，因为感染病毒而永远离开了他的两个孩子和四个孙子。今天，纽约的警车和救护车列队送他回家。向英雄致敬！

最高法院9位法官中，65岁以上的有六人，包括87岁的Ginsburg。自从贝尔一百多年前发明电话以来，今天最高法院第一次通过电话听案子，也是第一次电台实况转播。这是最高法院两个月来第一次开庭，这两周要听十个案子，其中三个是要求川普公布个人税表的案子。

国会那边，据说有上百位议员为了省房租，一直住在办公室。现在由于隔离的要求，国会山健身房关门了，他们没地方洗澡。有人就趁机拿抗疫说事，要求禁止住办公室，称“国会办公室不是

homeless shelter”。

由于工人感染病毒，猪肉生产产能降了一半；总统下了行政命令也解决不了问题。

Amazon有工人揭露瘟疫期间工作条件恶劣而被解雇。今天该公司一位年薪百万的高管辞职，以示抗议。

如果你股市赔了，不必太难过，有人比你赔得更多：巴菲特今年第一季度由于在航空公司的投资，赔了五百亿刀。

附近Santa Cruz的一家医院，收到一百万美元匿名捐款，指定给所有员工（包括医生、护士、清洁工、保安等等）发奖金。多令人欣慰！

《伴随着你》曲子挺好听的。很多中国的传统曲子，不管是多么悲伤的，一定是高昂的结尾。而这个曲子，是一个有点忧伤的结尾，给人以回想的空间。

硅谷日记（67）2020.5.5.

今年的桃花像往年一样好看，但满树的虫子会夺去今年的桃子收成，无可奈何桃落去。

新冠病毒在加州、纽约州都在减缓，但全国的死亡率仍然居高不下，今天又新增了2338人死亡，总数到了71993人；确诊病例今天又增加了两万六千人。好几个州在总统的推动下开始复工，瘟疫会如何发展很令人担心。

很多超市要求顾客戴口罩，Whole Foods给顾客提供口罩。昨天，Michigan州一个小店的保安要求一个顾客戴口罩，发生冲突，顾客的家人回来枪杀了43岁的保安。这么野蛮而残酷的事情，就发生在今天的美国。今天，法庭对一名嫌疑人（母亲）通过视频进行了提讯，另两名嫌疑人（父亲和儿子）还在逃。这就是这个世界丑恶的现实，这就是这个社会的悲哀。

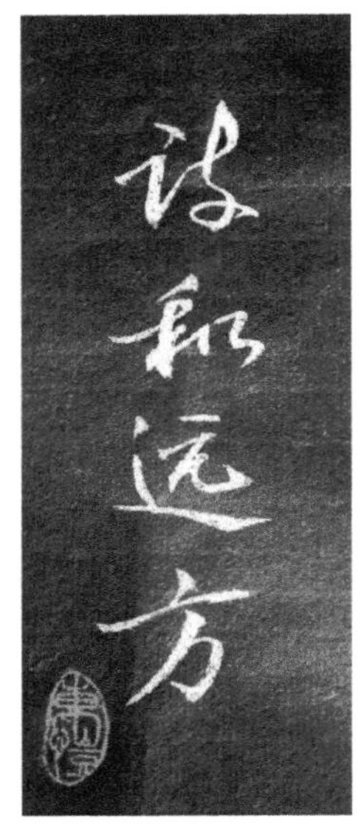

失业的范围更大了，也离硅谷的白领更近了：Airbnb解雇了四分之一的员工（近两千人）。迪士尼上个季度赔了14亿美元。华盛顿州农场的十亿磅土豆卖不掉，无偿赠送的消息传出后，小镇外面车龙排了好几里。

总统今天出了城，飞到凤凰城看一家做口罩的工厂，但总统和随从都拒戴口罩。

在我们呆在家里的时候，医护人员还在前线战斗。加州医护人员被病毒感染的已经超过六千人，死亡32人。今天有人匿名给硅谷的医院捐赠一百万个口罩。致敬！

我从来没想到能在这么短的时间里看到这么多的良善；我从来没想到能在这么短的时间里看到这么多的丑恶。我也没想到桃树会被虫子害得这么惨。我还在向往诗和远方……谁与同行？

硅谷日记（68）2020.5.6.

早上，浅蓝色的天上浮着淡淡的几缕白云。

全国的瘟疫死亡人数还在很快增加，今天有2569人丧生，比昨天还多。好几个州还在慌慌忙忙复工。

经济继续衰退，航空飞行降了95%，全国3000架飞机停飞，航空公司每个月赔100亿美元，十万员工减薪。上周，汽车销售降了40%。在湾区，Uber刚刚解雇了3700名员工。上个月全国至少有两千万人失业，为二十年来最高，是上次大衰退时的两倍。今天股市降了近1%。

全国有五分之一的孩子食物不足，是2008年大衰退时的三倍。

在Oklahoma，一对男女来到麦当劳，三位员工根据公司隔离规定不允许他们坐下来用餐，发生争执，17岁的员工遭到枪击受伤，凶手被抓。

Kansas州的Dennis Ruhnke五十年前在大学学农业，差两个学分就要毕业了。不幸父亲去世，他只好辍学，回到家庭农场，种地养家，照顾他的母亲。后来两个孩子长大后，他太太因病切了肺，还有糖尿病，他没有回学校完成学业。因为农场工作的需要，他有五个N95口罩。前几天，七十多岁的Dennis给家人留了四个口罩，把省下来的一个寄给纽约州长，希望给前线的医护人员。昨天，他的母校在Kansas州议会厅举行特殊的毕业典礼，授予Dennis名誉学位。五十年后，他毕业了。致敬Dennis!

跟Dennis比，我可能还得五十年才能毕业——虽然我的学位有好几个。

这就是我们今天的世界：有丑恶，有美好。有时候我很失望，但我依然相信美好。

硅谷日记（69）2020.5.7.

前院小路边不知什么时候长出来的文竹，在墙上爬起来了。就像人家说的，文雅之竹，风韵独具，婉约如诗。

就在今天，全球又有近十万人感染新冠病毒，总数将近四百万人了；至今二十七万多人已经丧生。就在今天，全国又有近三万人感染病毒，总数近一百三十万人；至今已有76549人失去了生命，包括两万纽约人和2546加州人。瘟疫的惨烈就这样在我们眼前一天天发生。

总统的一名随从测试阳性；现在要求总统身边的人员每天测试。

上周，又有三百二十万人失业。上个月，全国有三分之一的房客没有按时交房租。加州的财政赤字将到540亿美元。而更多出台

的复工计划，给股民带来了一点儿希望，股市涨了1%。

考驾照也成了问题；Georgia州给两万年轻人发了驾照——没有经过路试。

加州出台了分四段的复工计划，全部恢复正常可能还要一年多。现在开始由几所大学培训数万人的“病毒侦探”，负责追溯感染病人的接触史。

说到加州，有人说房子贵，有人说税率高，有人说政策左；我就说三个字：我爱加州。

打球吧。

硅谷日记（70）2020.5.8.

气温一天天升上来，今天到了92 ℉，完全是夏天的天气了。十来天前，我一分钟耕耘种下的蒜，已经长好高了，就等一分钟收获了。

以每天十万人的增速，全球感染病人超过了四百万人，死亡近二十八万人。全国今天又有1625条生命被病毒吞噬，包括67个加州人；全国至今已有78170人死于瘟疫。三个最大的城市——纽约，洛杉矶，芝加哥——受害最重。

昨天总统的一名随从测试阳性；今天副总统的新闻秘书测试阳性。他们前呼后拥，依然抗拒戴口罩——包括跟年过百岁的二战老兵在一起的时候。

我们居家隔离的第一个月，是美国历史上失业最高的一个月。没有一个行业幸免：建筑业一百万人，制造业一百三十万人，衣店七十五万人，影视业二十二万人，运输业十万人，律师所七万人，电脑业十万人；还有，地方政府八十万人——其中一半是学校员工；还有，一百四十万医护人员——因为大家不再去看眼医、牙医和其他非急需的医生。

很多股民觉得最黑暗的节点已经过去；今天股市涨了近2%。

由于川某煽动民族仇恨，针对亚裔的骚扰大幅增加，全国几个月来亚裔报告受不同形式的骚扰1700 次，特别是针对妇女、老人和儿童。

Eugene Jarecki在纽约时代广场（离川普大厦不远）立了一个大屏幕，叫Trump Death Clock，实时显示由于川普的耽延而造成的死亡人数（基于总死亡人数的60%）。今天的川普死亡钟显示44809人。

44个州开始了不同程度的复工，而我们County仍然坚持最严格的隔离政策。Google和Facebook说他们居家上班会到年底。

感谢Gates家为全球抗疫捐献2.5亿美元。Melinda还很慷慨地给川普团队的抗疫工作打分为D-。

专家说，由瘟疫而引起的抑郁、酗酒等，会带来跟直接死于瘟疫同样多的死亡。这是多么可怕的社会灾难！

抗疫是持久战，稍安勿躁；健康须全方位，体强神安。

硅谷日记（71）2020.5.9.

早上趁天阴不热，到山里走了两个多钟头，一路上微风拂面，来来回回八个多公里。路边野花盛开，有蜜蜂，有蝴蝶；使我不禁想起了《东恺语录》：我喜欢的就会找我。

今天全国又有1487人丧生，两万五千多人被感染。三个最顶级的医生——CDC主任 Dr. Redfield，FDA 署长Dr. Hahn，传染病研究院主任Dr. Fauci，都因为接触了测试阳性的人而自我隔离；他们很可能是在白宫接触到的被传染病人。

同时，由于医院都不能进行常规手术，全国的医院每月损失五百亿美元。

刚刚曝光的新闻说，卫生部最近被排挤的 Dr. Bright，早在一月份就建议联邦政府储备口罩并开始开发疫苗，但得不到回音。

在抗疫问题上，川普领导的团队一错再错。其一，基于竞选的需要，自始至终恶意淡化瘟疫的严重性。其二，CDC怠惰迂腐，由于测试盒的问题在关键时刻耽误了时机。其三，长时间坚称“口罩无用”，误导民众。其四，煽动部分民众抵制地方政府的隔离令。其五，不计后果，一味盲目地强推复工。其六，信口开河，造成极大的信息混乱。这六大错误，误国误民，造成了大量的不应有的死亡。Melinda Gates很慷慨给川某打分D-，我只能给F。在世界的其它地方，一些人祸世殃民的作为，历史也会记下。

下午又跟着网课做瑜伽，晚上写字，练琴，又是匆忙的一天。

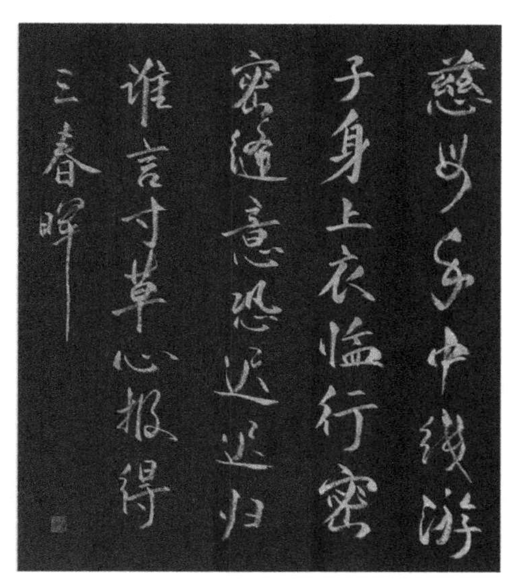

硅谷日记（72）2020.5.10.

上午主日崇拜。愿主保佑天下所有的母亲们。

瘟疫没有过周末。今天全国又有两万人被感染，死亡总人数过了八万。加州七千多医护人员被感染。海军总长因为家里有人被感染而自我隔离。上周两名白宫人员测试阳性，很多工作人员着急起来了；但总统还是拒戴口罩。参议院的听证会也改成线上进行了。

我们County至今有2339人被感染，死亡129人，目前住院95人。建在会展中心的方舱医院昨天也拆掉了，基本没用上。虽然高峰期已过，我们仍然在执行可能是全国最严格的隔离措施。

放眼全球，将近三十万条生命已经被瘟疫吞噬。几万个母亲被剥夺了本来属于她们的母亲节，多少个孩子不能再叫“妈妈”，甚至成为孤儿。如果我们没有敬畏之心，这样的悲剧能不继续发生吗？

感恩神保佑我母亲的安康。每读到“慈母手中线”，就想到小时候，家里用的棉线是我母亲和我奶奶摇着自家的纺车纺出来的；麻线也是自家做的，叫“合绳儿”。半夜我醒来的时候，常常看到母亲在昏暗的油灯下为我们缝衣服，从土屋墙缝进来的风吹得火苗不停地跳着。年复一年，衣服穿得不能再穿的时候，就用旧布做鞋子。“谁言寸草心，报得三春晖。”

下午阳光灿烂，微风吹拂，是骑车的最好时光。外面还是人少车稀，只有网球场有了开放的迹象。骑车回来，整理后院的杂草，主要是想多在外面呆着。

还在临颜真卿的《多宝塔碑》，进步很慢。继续自学《天空之城》主题曲《伴随着你》。“我现在还有梦想，心中的城堡辉煌。勇气带着我飞翔。”

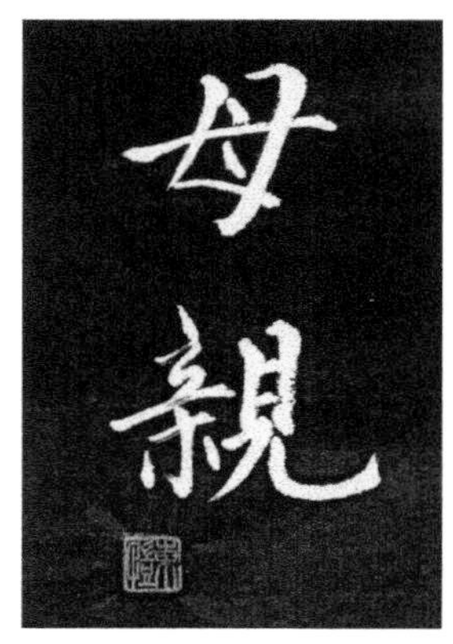

硅谷日记（73）2020.5.11.

天凉下来了，高温只有75 ℉。

瘟疫到了白宫。病毒到美国四个月后，川普团队坚称“口罩无用”很长时间后，今天开始白宫工作人员要戴口罩了；总统、副总统仍然不戴。

下午的记者会上，川总统被问得理屈词穷，恼羞成怒，公然说要提问的CBS驻白宫记者Weijia Jiang去问中国。又向同情Weijia的CNN记者Kaitlan Collins发了火之后，突然终止记者会，拂袖而去。作为总统，整天就会冲记者发火，只能更显示其无德无能，德不配位。

特斯拉硅谷工厂今天强行复工，马斯克说等着警察去抓他。

晚上打球。《多宝塔碑》临到最后一页了。

硅谷日记（74）2020.5.12.

早上细雨绵绵，气温降到了67 ℉ 。午前云散日出，阳光普照，松鼠爬到树上来了。

全球已经有近三十万人被新冠病毒夺去生命，全国今天又有1551人丧生。虽然高峰已经过去，专家在今天国会的听证会上警告说，瘟疫还没有得到控制，过早复工会带来严重后果。股民信心受挫，股市降2%。

加州开始逐步放松隔离措施，但我们County仍然没有放松。南加州那边，洛杉矶居家隔离措施要延长到七月底。

今天最高法院以电话会议形式开庭，辩论关于川普税表的案子。

今天读到圣徒保罗的话：不可自视太高，高于所当看的，要照着神分给各人信心的大小，看得合乎中道。（圣经罗马书12：3）“合乎中道”，尤其是不要把自己看得过高，是一个非常恳切的提醒，尤其是在事业顺畅的时候。

硅谷日记（75）2020.5.13.

早上下了楼，蓝莺已经等在窗外了。

瘟疫的发展触目惊心。过去几个月，全国已经有84843人死于新冠病毒。相比之下，美国过去十年平均每年死于谋杀的人数是17300人。纽约附近郊区的Morris County，过去十年有30人死于谋杀；而过去几个月已经有518人死于病毒，相当于173年被谋杀的总人数。瘟疫的惨烈，可见一斑。

上周又有二百五十万人失业。上个月副食品价格上涨百分之四左右，创了纪录。今天股市又降了百分之二。

快到中午的时候，外面空中飞过加州国民自卫队四架F-15战机，它们在全州的几个大城市医院、救火站等设施上方编队飞行表演，也带着我向前线救护和工作人员的最高敬意。我知道，我的身安和心安，都要感恩于冒着生命危险坚持在一线的医护人员，急救人员，警察，工人，公务员。

晚上打完球，铺开纸，写下此时脑海里出现的几个字：心宽心安。

硅谷日记（76）2020.5.14.

村里一片寂静，晴空之下没有一丝风，天地之间只有鸟在动。居家办公，邮件电话，又是一日。这一天，从早到晚，几通电话会议，先后跟团队在不同时区十几个国家的同事交流，有在家里的，有在公司的，都笼罩在瘟疫的威胁之下。

今天全国又有1765人死于新冠病毒。新泽西州Glen Ridge是一个只有七八千人的小镇，这里的人们过去三星期一直在为他们的警察Charles Roberts祈祷。不幸的是，45岁的Charles被瘟疫夺去了生命。今天，当载着他遗体的车从镇上去墓地的时候，居民们都站在各家门前，向Charles致敬。

经济方面的压力也越来越大。全

国餐饮业上两个月损失800亿美元，四分之一餐馆可能会倒闭。加州税收降了22%，往后三年要动用160亿美元的储备金，教育、医疗经费都要缩减。

股市今天涨了一点儿。在国会，共和党某参议员被怀疑利用未公开的有关瘟疫的信息，在二月份股市大幅下跌之前抛了一百七十万美元的股票，涉嫌内部交易被FBI调查，该参议员今天辞去了参议院情报委员会主席的职务。

我最近总在想，居家办公可能成为很多人的常态，公务旅行和度假旅行都会大大减少，人们的交流方式会发生很大的变化。这对人与人的关系会有什么样的影响——于情，于爱，于私交，于公谊；或远，或近，或未来，或短期……这席卷全球的瘟疫，给全人类，整个社会，和社会最小的单元，都会留下永久的烙印。

硅谷日记（77）

2020.5.15.

居家办公整整两个月了。很多人都说原来没有想到，WFH可以如此高效。硅谷已经有四分之一的公司说，WFH 会成为新常态。

遥想两个月前，我们County在全国瘟疫最为严重，率先进入“全民宅”；彼时，全国50个州确诊病例近6500人，死亡114人；我家10英里内确诊150例，死亡4人。而今天，全国确诊病例近一百五十万人（两个月前的230倍），死亡88257人（两个月前的八百倍，人口比例3750:1）；我们County确诊病例2403人，死亡135人（人口比例14280:1）。统计数据说，跟实行隔离措施的地方相比，不实行的地方病例高35倍。今天很多州都在放宽隔离措施，而我们County依然在实施最严格的隔离措施。感谢我们地方官的工作！

新泽西州的Sylvia Goldsholl以108岁的高龄战胜了病毒。Way to go, Sylvia！

推特老总Jack Dorsey捐赠一千万美元，给东湾奥克兰市的儿童每人一部电脑，保证在家上学的需要。感谢！

众议院今天决定允许远程投票，是231年历史上的第一次。

新的工作模式下，不出差，不开车，每天晚上在车库打球，帮我两个月掉了九磅。

社交媒体上，无聊的阴谋论依然此起彼伏，群魔乱舞。想起一句话：欲为苍鹰，勿与鸟鸣。

硅谷日记（78）2020.5.16.

上午去山里放风，三小时走了八公里，招蜂引蝶，观花赏草。天朗气清，能见度极好，远处的苹果园尽收眼底。

全国确诊病例过了一百五十万人，死亡近九万人，今天又有1221人丧生。最担心的是各地隔离措施放松以后，会不会出现第二波。

加州八千多医护人员被感染，占全州确诊病例的十分之一，很让人揪心。愿主保佑他们。

下午跟网课做瑜伽，写字练琴，给前院的玫瑰修枝；都是些苟且无用之事。

硅谷日记（79）2020.5.17.

上午，云雨和太阳在捉迷藏，忽而云，忽而雨，几分钟后又是阳光灿烂。午休后雨退出了舞台，我趁机在后院桃树和枣树的周围开垦了一片荒地种菜。晚饭前又出去骑车转悠了一个多小时；昨天在山上远眺苹果园，今天到门前近观。

加州确诊病例超过了八万人，死亡3240人。全国（包括加州）都在放松隔离措施，唯有我们County是奇葩，既是当初最先开始“全民宅”的，又是如今唯一没有放松的。而更为独特的是，很多地方有游行抗议的，有持枪闯州议会的，有抵制隔离令的女理发师宁肯被拘留的，有威胁州长而面临判刑的；而我们County却没有人出来抗议——要么我们都听话，要么我们都怕死，或者我们既听话又怕死，或者我们都在忙着 WFH。

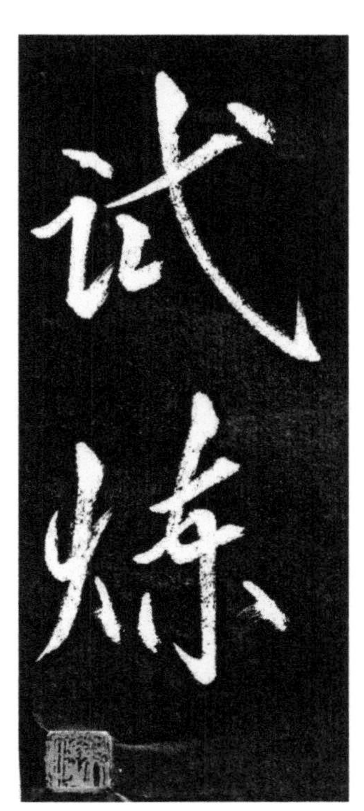

联邦移民局因为瘟疫而停摆，同时因为收不到申请费而亏空，跟国会要12亿刀。

NASCAR赛事开始了，40辆车，时速200英里；没有现场观众。

今天牧师讲道，讲“试炼trial”与“试探temptation”。瘟疫就是我们目前面临的试炼，而心灵的病毒则是我们终生面临的试探。圣经给了我们一个“照妖镜”，那个temptation的“妖”就在我们自己身上，叫“苦毒”、“苛刻”、“嫉妒”、“恼怒”、“狂傲”。愿神给我们加力，胜过这试炼和试探。

硅谷日记（80）2020.5.18.

早上，院子地上是湿的。太阳出来后，天是湛蓝的，云是洁白的，鸟鸣依然是清脆的。

瘟疫又过了一个可悲的里程碑：全国死亡九万人。我们County确诊病例2470人，死亡135人。从三月份成为全国的重灾区，三月中开始隔离令，到四月中高峰日增病例88人，到今天日增病例19人，我们County拉平了曲线。今天，我们County正式宣布进入“第二阶段”，从周五开始允许零售店店外路边销售。

经济效应仍在恶化。Uber两周前解雇3700员工后，今天又裁员3000人。

疫苗研究的进展给股民带来了希望；今天道琼指数上涨近4%。

在纽约，Dr. James A. Mahoney，一位62岁的非洲裔美国医生，一直战斗在抗疫第一线，在一个医院的重病监护室上完白天班后，再到马路对面的另一家医院上夜班，好几个星期几乎没有休息。不幸，他自己也被病毒夺取了生命。向英雄致敬！

感恩这些善良的人，让我看到了世界的美好。

硅谷日记（81）2020.5.19.

后院的叶子花，从早到晚颜色都在变，白天有艳丽之色，早晚有素雅之韵，常年不衰，四季长盛。

全国五十个州都不同程度地放松了隔离措施。有的地方政府说，不会在有疫苗之前全面放开。对疫苗的疑问又使今天的股市下滑。

加州大学UC系统由于瘟疫要损失12亿美元，州政府拨款要减少4亿美元，真是雪上加霜；各校区校长减薪10%。

由于人类活动减少，产生气候温室效应的气体排放上个月下降了17%，二氧化碳排放减少了10亿吨，回到了15年前的水平。全人类集体暂停，史无前例——因为100纳米大小的病毒。

今天临帖写到“名”字，这个字几千年来写法没有变化。原意是说在夜里（“夕”）看不见的时候，以“口”自名。所以要记住，我们没有被看见的时候，还有我们的名声在说话——不是沽名钓誉的虚名，而是由我们平时一言一行建立起来的名声。

道法自然

硅谷日记（82）2020.5.20.

现在不用出差了，我新兼了两个职。作为动物园长，早上看松鼠跳舞，听鸟唱歌。作为农场工人，周末整修园子。作为植物园长，赏前院花，观后院果。今天突然注意到，李子已经默默无闻地长这么大了。

全球被感染人数一天增加十万人，过了五百万人，包括美国的一百六十万人；全国死亡93823人。哥伦比亚大学的模型说，如果美国在三月份提前一周采取措施的话，死亡人数可以减少36000

人。这是历史性的悲剧，是耻辱，绝不是川某说的“光荣”（badge of honor）。

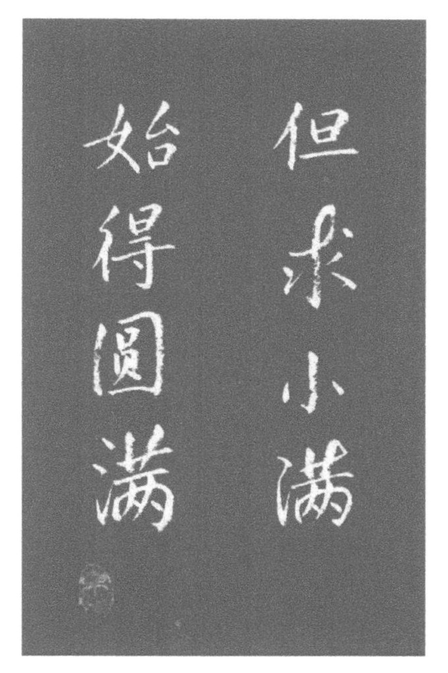

总统明天要去底特律看福特工厂，密西根州总检察长今天发文说，戴口罩是法律要求。

现在高速公路上车少了，但开得更快了，致死交通事故比去年上涨14%。

上个月食品价格上涨2.6%，是五十年来最高涨幅。股市今天上涨1.5%。

两千多年前祖先制定的二十四节气，只有“小满”，没有“大满”；这是何等的智慧。小满，“小得盈满”，是过程，不是结果；是滋润，不是暴富。话不说满，事不做绝，淡泊平和，足于小满。东恺定律：小满 > 大满。

硅谷日记（83）2020.5.21.

越来越多的公司在讨论长期性居家办公。这场历史性的灾害和所带来的普天下的隔离，将会永久性地改变我们的工作方式，甚至我们的社交方式和思维方式；甚至人与人、群与群、国与国之间的关系。

此刻，我们更关注的是安全、健康和生存。上周又有二百四十万人失业，三月份以来已有百分之二十的人失去工作。纽约市四分之一的人没有足够的食物；市政府每天提供一百五十万份免费餐。今天股市又略降。

今天气温又上到了79 ℉。村里，猫堂堂皇皇地坐在路中央。我每天的旅游路线是早上绕村游，晚上后院游，细细地观赏后院的小花。把坐井观天，权当作诗和远方。

还有更多的时间思考。性格愈加孤僻，却还想有知音，那只能是一个无解的命题。当你在宇宙中寻找知音的时候，日记就是想象中那个可以对话的人。

“没有日记的生活是一种无痕的、快速的生活，似乎丧失了意义。”（苇岸）

硅谷日记（84）2020.5.22.

周末山上跑步、骑车的人更多了，大部分人都戴着口罩。早上暖而不热，微风和煦。我尽量走宽一点儿的小路，遇到人各走一边。好在山里小路多而且长，也遇不到几个人，偶尔近距离遭遇的时候就把口罩戴上。我半天上上下下走了不到一万五千步，一路上有蝴蝶和鸟相伴，还有久违的鹿。

口罩每一次用过后放在车里自然消毒，下周再用。今天这只口罩带子断了，启用一只新的。

很多人都急于恢复正常，总统在打高尔夫球，一些教会要求恢复教堂聚会，还会有不少人去公园和海滩。我既然胆小，还是后天

下之乐而乐吧。继续WFH，活动范围在家里、村里和山里，楼上楼下，前院后院，屋里车库。二十年来第一次有这么长的时间呆在家里，院子里还有很多的事要做。

午休后，照常是网课瑜伽，练琴写字，无所事事。

一边吃晚饭一边欣赏后院的花，夕照下一幕激动人心的事情发生了：松鼠家的一对双胞胎出来了，我还是第一次看见哥儿俩一起出来嬉戏，又蹦又跳，吃了李子，又吃叶子花，过得很滋润。

我为这一切感恩。

硅谷日记（85）2020.5.24.

早上一边看松鼠双胞胎哥俩在后院嬉戏，一边练琴。趁天还不热，出去骑车；上午出去的优惠是一路上可以不停地听鸟鸣。这是我们County进入第二阶段后的第一个周末，唯一看到的不同，是苹果园的旗舰店开门了；里面几个顾客都戴着口罩，保持距离。

全球确诊病例将近五百五十万人，全国近一百七十万人（200:1），加州九万四千人（425:1），我们County2571人（750:1），而我们这个zip code（10英里见方）是4000:1（是全国平均数的5%）。我们几个月前是最严重的地区，最先开始隔离措施，现在还是最严格的；可见隔离措施是非常有效的。

总统继续打高尔夫球，很多地方匆忙复工，很多人急于去公园海边放风。一些教会状告州政府要求开放教堂聚会，一些教会违反禁令聚会导致会众感染，甚至有牧师不幸丧生。而我们这里一家教会前面的大招牌上写着：please join us online！也算硅谷的特色吧。

午休后写字；傍晚凉快的时候继续收拾旧山河，整理后院。

骑车的时候一直在想，老祖宗说的“不惑”到底是什么意思？进入“不惑”年龄的人，很多会停下来思考如何度过一生。窃以为，不惑，就是知道珍惜每一天，把每一天都按照自己想要的方式过好。是的，自己想要的方式——既不必是世俗所期望的，也不必是愤世嫉俗的；既不必是父母所期望的，也不必是离经叛道的；可以是阳春白雪，也可以是下里巴人；可以是苟且，也可以是诗和远方。

自己想要的方式——那是唯一可以使你不虚度此生的。

硅谷日记（86）2020.5.25.

前两天还在开窗帘进太阳，今天要关窗帘防晒了，气温到了94 °F 。上午练了琴，出去骑车，往南边转了一个大圈。短衫短裤，既惬意，又能得维生素D。途中路边有几十家商店，没有一家在搞路边curbside零售的。公交车站都贴着传单，劝你没有必要的事不要出门。

一批又一批人失业，只有律师还没闲着；全国各地已经有1300个针对隔离令的诉讼。加州今天进一步放开：准许教堂聚会和政治抗议集会，但人数都要控制在100人以下；零售商店也可以店内营业。但各个County可以有更严格的措施；我们County 还很谨慎。

下午继续写字，然后收拾后院。

今天是Memorial Day“阵亡将士纪念日”，纪念在各战争中牺牲的官兵，包括二百多年来在历次战争中献身的成千上万的亚裔将士；他们献出了林肯称之为“the last full measure of devotion”。对他们最好的纪念，就是保卫他们用生命换来的和平——通过对话，理解，友善，互助。

“主啊！使我做你的和平器皿！”（St. Francis 和平之祷）

硅谷日记（87）2020.5.26.

生

每一个名字，都是昨天一个鲜活的生命
每一个数字，都代表一个破碎的家庭
一个，两个，三个，……
十个，一百个，一万个，……十万个！
那些曾经的我们，
那猝然而逝的生命
那一个个被折断了翅膀的梦……
是天灾？是人祸？
问天地？问苍生？

还要多少牺牲，才能坚定我们对上天的敬畏？

还要多少个亡灵，才能唤醒我们对生命至高无上的尊重？

透过悲哀和眼泪，

艰难前行，

何以慰亡灵？

“天地之大德，曰生”

【“天地之大德曰生”（周易 系辞传）】

Last updated 05/26/2020 03:51pm PDT. Figures confirmed via official organizations & agencies. Source Info

+17,354	+6,902	+647
1,716,819	**348,087**	**100,042**
CASES CONFIRMED	RECOVERED	DEATHS

硅谷日记（88） 2020.5.27.

今天，是历史上黑暗的一天。全球瘟疫确诊病例将近六百万人，死亡三十六万人；全国确诊病例一百七十多万人，死亡101619人；加州确诊病例超过十万人，死亡3895人。这一个个悲惨的里程碑，很不幸地还要被新的里程碑所代替。

而在这样的时候，总统和他的一些追随者还在抵制戴口罩。荒唐愚蠢，自私冷酷，莫此为甚。

而医护人员还在前线冒着危险救治病人；加州近万名医护人员被感染，全国可能有几十万人。

我们County公布了死于瘟疫的139人的详细信息（除姓名外），包括年龄，种族，性别，区域zip code，病史等。

更多的人失业，每个州的失业人数都是多年来的最高。波音要减员十分之一，成千上万人会失去工作。全国有近一半的人收入降

低；三千万孩子在等待两个月前国会立法通过的食物补贴。全国有三分之一的人有焦虑或抑郁症状。

晚上开车出去，两公里外，看到一片无家可归人士的帐篷在路边起来了。

纽约证交所在关门两个月后昨天又开门了。股市这两天连涨。

国会今天有史以来第一次远程投票。

高速公路上车辆稀少，上个月一辆车从曼哈顿到加州只用了不到26小时，成为历史记录。因为违反隔离令，创记录者匿名。

这个月是Asian Pacific American Heritage Month。今天民主党总统候选人拜登发表文章，谴责川某挑动种族仇恨，给亚裔带来伤害。

今天气温94 ℉，在车库打球满头大汗。

硅谷日记（89）2020.5.28.

全球瘟疫，举世隔离，病毒猖獗，人人自危。几十亿人同时按下暂停键，漫长黑暗隧道尽头的微光忽隐忽现。

对于被病毒伤害的个人和家庭，这当然是天大的不幸。

而对于人类社会——那个此前异常亢奋，自信高科技可以征服一切，以为经济繁荣、太平盛世一发而不可收，以财富积累为追求，以匆忙奔波为己任——上天通过这场史无前例的灾难，对于这个社会，又会带来什么信息？

对于身在其中的每一个人，又能带来什么灵魂的拷问？

什么对我最重要?

真正关心我的是谁?我真正关心的是谁?

我真正能够信赖的是谁?我真正能够依靠的是什么?

什么是我能够控制的?什么是我必须敬畏的?

什么是我真正需要的?什么是可有可无的?什么是看似重要,其实是累赘?

我今后的岁月,会有怎样不同的过法?

我,会有什么不同?

走到后院,我仰望着刚刚升起的一轮新月,发呆。

硅谷日记（90） *2020.5.29.*

强烈谴责抗议Minneapolis 警察暴行！！依法严惩凶手！

硅谷日记（91）2020.5.31.

在过去的日日夜夜里，我有过很多的失望——
瘟疫的猖獗，病毒的疯狂
族群的隔阂，两极分化的社会和政党
社会的不公正，贫弱者的无助，
再加上，某些政客的丧心病狂
放眼世界，还有——
极端主义，民族主义，孤立主义，民粹思想
环境保护减弱，专制势力加强
我迷茫，我彷徨，我忧伤——
社会的伤口如何愈合？
世界的和平靠什么保障？

我沉思， 我祈祷——

徒步在山上，看到蝴蝶，我看到了生命的希望

骑车在路上，看到路边零售店的开启，我看到了生活的希望

远处，看到龙的升空，我看到了探索的希望

全国各地，警察加入民众和平抗议的行列

使我看到了社会的希望！

进步，靠的是你和我的良知

和我们共同的力量

失望中，这就是我们的希望……

We are one race – The HUMAN race

Pictured is @FargoPolice holding hands with protest organizers & a sign 'We are one race... The HUMAN race.' Truly powerful.

♡ 6,383 12:52 PM - May 30, 2020

Santa Cruz Police
@SantaCruzPolice

SCPD is fully supportive of peaceful protests @CityofSantaCruz and we always keep them safe.

Hundreds gathered on Pacific Ave in #SantaCruz, taking a knee together in memory of George Floyd & bringing attention to police violence against Black people. PhotoCredit @Shmuel_Thaler

♡ 4,114 2:18 PM - May 30, 2020 · Santa Cruz, CA ⓘ

硅谷日记（92）2020.6.1

Photo by Mike Von on Unsplash

我要呼吸

年复一年，光天化日
无辜黑人在警察手里死去
我要高声呐喊：不要以我的名义！
我要大喝一声：停止！
我支持的警察，
保护社区，不分族裔
保障自由表达的权利，不论言语

我不是黑人，但我知道

不公平的社会，不可能有正义

对一个人的非正义，就是对所有人的非正义

对一个群体的歧视，就是对所有人的蔑视

在社会正义的问题上，没有人可以中立

我们说，一个社会的文明程度，取决于如何对待弱势群体

我相信，这个社会的良知，一定会战胜种族歧视的社会瘟疫

正义，如同呼吸

我要呼吸

我要正义

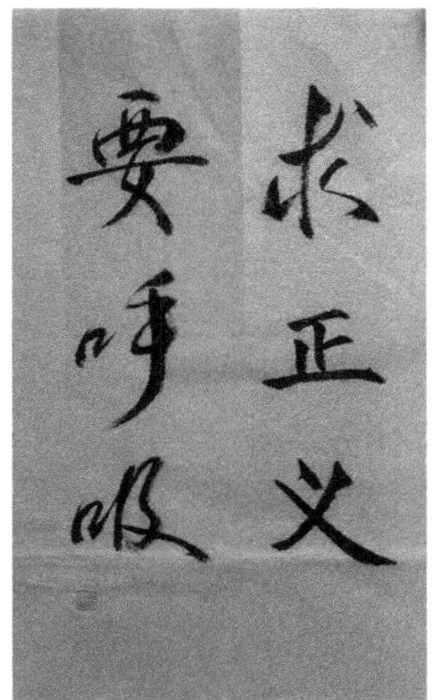

硅谷日记（93）2020.6.2

瘟疫继续肆虐，全国近两百万人被感染，十几万人死亡；四千万人失业，未来十年经济损失将达8万亿美元。最先进入隔离的我们County，刚刚有限地放开了零售、餐馆、制造等行业。

就在这个时候，我们又进入了宵禁。

全国风起云涌的大部分抗议活动都是和平的，某些抗议活动被别有用心的极（左、右）端分子绑架。附近的骚乱活动就发生在离家十几英里的地方。这自然会引起我的一些不安全感。

但是，使我不安的，还有很多。社会正义的缺失，使我感到不安。没有同情心、忙于煽动仇恨的总统，使我感到不安。总统的张牙舞爪的恫吓，不能给我带来安全感。一个靠吹嘘白宫的狼狗有多厉害来给自己壮胆的总统，不能给我带来安全感。总统动用武力驱散白宫门前的和平示威者，为了他可以到对面的教堂前面一分钟举着圣经拍照，这不能给我带来安全感，只能给我带来恶心。如果他任何时候有兴趣打开圣经的话，就会知道，圣经教导的是爱，而不是他竭尽所能煽动的仇恨。

我要的安全，不仅是没有打砸抢，而且是有社会公正。没有社会公正，就没有真正的可持续的安全。别人不安全，我就不可能有真正的安全。这种安全，不能只靠警察，还要靠社会公正。我的安全感，不可能建立于不公正体系下的“正常秩序”。这不是黑人白人黄种人的问题；这是整个社会的问题。

我希望恢复正常，但我不要恢复过去的正常。我要新常态——基于社会公正的有真正持续安全感的新常态。席卷全国的和平抗议活动，被唤醒的社会良知，给我们带来了新常态的希望。

在村里散步的路上，看到谁家的孩子用粉笔在家门口写的“Black Lives Matter”。谢谢你孩子，一些所谓的“成年人”应该感到羞愧。

硅谷日记（94） 2020.6.5

呐喊

——致敬和平示威者

有的日子，震耳欲聋的
是寂静与无声
令人心痛的
是冷漠和无动于衷
有的时候，袖手旁观跟暴力一样可怕
视而不见无异于纵容
有些季节，令人窒息的是那停滞的空气

使我不能呼吸的，是集体的沉默和噤声
或者，各种推诿，无休止的一等再等
我要打破这沉默和窒息，大喝一声——
在正义与非正义面前
中立，是一种不可能
我要全社会的正义
我要所有人的公平
我要呐喊
我要呼吸
我要生命——不分肤色的每一个生命

Jimmy Carter on George Floyd protests: 'Silence can be as deadly as violence'

By Paul LeBlanc, CNN

Updated 5:20 PM EDT, Wed June 03, 2020

硅谷日记（95）2020.6.6.

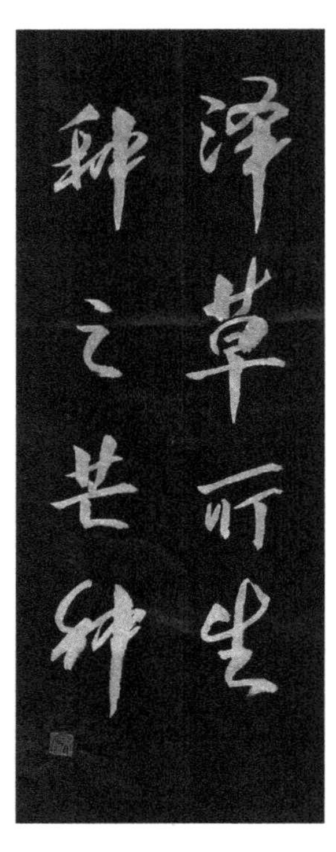

芒种时节，又到了周末放风的时候，山上的鸟语花香，伴着我上午八个多公里的独自徒步。

今天全国各地，从首都华盛顿到其它地方的大城小镇，成千上万的人们在和平集会游行。下午，家附近Cupertino有Black Lives Matter集会。这是个11平方公里不到六万人的小城，由于苹果园（不能吃的那种）的所在而闻名。

下午四点开始游行，有黑人、白人、亚裔和其他族裔的男女老少，年轻人很多。有开车来的，走路来的，骑车来的，推着婴儿车来的，还有拉着孩子和狗来的。还有人用三轮车拉水来给大家。人们举着自制的标语牌，沿着公路边的人行道，从公园到附近的警察局，一路上喊着口号，又回到公园集会。估计有上千人在草地上席地而坐，中间的篮球场地上有麦克风，有各种肤色的人上台自由发言；有揭露警察粗暴执法的，控诉社会歧视现象的，要求各种立法行动的，群情激愤。地面上没有警察，有直升飞机一直在上空盘旋警卫。

回想起三十多年前，也是芒种时节，在英国伦敦的那场游行，进行了好几天，最后以泪水结束。

古人说："泽草所生，种之芒种"。有的时候，种下的种子要很多年才能发芽，才能开花，才能结果。圣经上说："流泪撒种的，必欢呼收割。"有的时候，撒种的人，未必能看到收割；那是时代的悲哀。George Floyd看不到正义的果实了，但希望今天千千万万一起撒种的人们，能早日看到那正义的果实。

硅谷日记（96）2020.6.14.

周末爬山和骑车的时候，我都在想着外面正在发生的事情，为天下之忧而忧。社会公平正义的缺失而引起的动荡，一波未平一波又起，使我非常忧虑。

但我相信，这个社会有能力依靠法治的力量，依靠民主的智慧，修复制度上的缺陷。警察需要支持，也需要accountability；必要时需要武力，但很多时候需要de-escalation。社会需要警察，也需要警察制度的改革。警察需要武器的训练，也需要de-escalation的训练。这个社会，不能允许有任何没有accountability的权力，也不要滥用致命武力的警察；更不能容忍由于种族歧视造成的执法不公甚至生命的丧失。

而种族歧视和偏见，又何止于警察执法？根深蒂固的歧视和偏见，弥漫社会的每一个角落，甚至包括我的朋友圈，甚至包括我自己。克服制度上的或心理上的，明目张胆的或隐性的下意识的歧视和偏见，需要全社会很长时间不断的努力。我时时提醒自己，一个不惑的人，应该是没有偏见的人；一个高尚的人，应该是没有歧视的人。

在这个阳光灿烂的季节，院里院外又有新的花开了。

硅谷日记（97）2020.6.21.

居家工作又一个星期；到了周末，外面的青山绿水在召唤。夏至这天，一大早来到山下的时候，停车场还是空荡荡的。刚走进山谷，一前一后两只鹿出来迎接，从左边的山上下来，要到右边的小溪去喝水。

在山里，我一路上都在怀念自己的父亲。父亲幼年丧父，他体弱的母亲带着五个孩子，在村里种几亩薄田维持生计。后来世道变化，稀里糊涂地成了地主成分，以后苦上加苦。父亲排行第三，是当地有名的讨饭读书的孩子，每天放学后，给邻居家干活得一碗饭充饥。凭他的才华应该是可以上大学的，无奈生不逢时。他初中毕业读了当地的师范学校，在县城中学教书；这就算他能够达到的最好的结果了。后来，文革中我父母又被下放到村里的破庙里教小学，我们一家住在两间草屋里。就这样十几年，父母含辛茹苦，我们总算没有挨饿。

就在这样艰苦的环境里，父亲还常常带我们出去看新鲜事。附近建了一个炼铁厂，我们就花了一个上午去看，一路上他还哼着小曲；这可能就是他的诗和远方了。朝着浓烟滚滚的方向走了个把小时到了那里，远远地看着小车爬着轨道拉着矿石到几十米的高炉顶端，当时觉得非常奇

妙；出炉的时候铁花四溅，很是壮观。孩子中我是老大，从这些事情中得到的益处也就最多；诗和远方的情结，就在那样艰苦的环境中在我的心里埋下了种子。

父亲的一生，怀才不遇，有很多的遗憾；但他依然尽了最大的努力，从城里到乡下，帮助一个个学生，又靠这些学生的帮助，在那个动乱的年代里没有受到更大的伤害。我们家的亲戚大多都在乡下，父亲也千方百计地帮助他们。他用一生的行动，教给了我宽厚，善良，坚忍，责任感和敬业。后来开放了，可以考大学了。但在那个一切为了生存的年代，父亲作为当地有名的中学语文老师，虽然给我灌输了不少语文知识，却一定要我学理工科；那颗诗和远方的种子，在我的心里就一直没有发芽。

作为父亲，他是不完美的；但他仍然是最伟大的父亲，因为在那样的环境中，他给了我最好的。父亲过世之后，每每回想起来，我都很感恩，也很惭愧——因为我没有能够像他那样好。

多年前，当我在自己的事业领域，到了自己认定的顶端，觉得无愧于父亲的期许的时候，一度很茫茫然。渐渐地，我心里那颗诗和远方的种子，开始萌动，慢慢发出些芽来。或许在我的下意识里，这也是对他一生某些遗憾的弥补，也是对他的一种怀念吧。这样说来，父亲从来就没有离开过我。

走到山顶，一眼可以望见海湾。一路上都有鸟鸣陪着我，一个人来来回回将近两个小时，走了不到八公里。下午在家跟着网课做瑜伽，身心俱爽。而后练琴习字，看后院松鼠耍玩。

周日上午，教会还是线上活动。感谢天上的神，赐给了我最伟大慈祥的父亲。

下午出去骑车回来的时候，看到院墙外面夹竹桃开了红花。这么多年匆匆忙忙，一直只看到白花；第一次看到这红花，竟是那样的美。

超然物外

硅谷日记（98）2020.6.28.

很长时间不能旅行，时常想到过去周游列国的时光。遥想过去那么多年，去了近三十个国家，美国三十几个州，中国二十多个省。一年到头，每天早上醒来，第一件事是“定位”——确定自己在哪个时区。而现在，对付时差的一套办法，都废而不用了。新常态，就是居家工作，院里走走，村里转转。周末出去放风，爬山、骑车；劲儿还没用完，又整理前后院子。这又何尝不是好事呢？

周日学习圣经。马太福音说：“你要尽心、尽性、尽意爱主你的神，这是诫命中的第一，且是最大的。其次也相仿，就是要爱人如己。”约翰一书说：“爱神的，也要爱自己的弟兄。”

“爱人如己”，做起来却是如此之难。现实生活中，我遇到有些自称基督徒的人，他们对“爱人如己”的诠释和实践，似乎是“爱跟我想法一样的人”。有些自称基督徒的人，现在最关注的（或是唯一关注的）的政治问题，是同性恋问题。只要某一个政客自称（心里咋想的不知道）是反对同性恋的，这个政客不论是如何煽动仇恨的，对这些自称基督徒的人就完全不重要，就能够得到他们的全力支持。否则，如果某一个政客或组织不是反对同性恋的，这些自称基督徒的人就一概反对。我不知道，这些自称基督徒的人，他们这样的诠释和实践，是基于圣经哪一条的教导？

如果这些自称基督徒的人还有任何其它关注的事情的话，那就是堕胎问题。他们坚定地认为，从精子与卵子结合的那一刹那起，无论任何情况（包括强奸、乱伦等）下，都不能堕胎。而对于已经长大成人的，那么多被无辜杀害的生命，有些人却是很少有关注的兴趣。只要某个政客自我标榜是反对堕胎的（无论这个政客侮辱过多少妇女，无论这个政客是如何听命于供枪业的），都会得到这些基督徒的支持。我实在是无法理解他们的想法。

我记得圣经要我们跟自己心中的魔鬼争战。而有些人，没有勇气或兴趣与自己心中的魔鬼争战，却很方便地将外面看不顺眼的事情作为争战的对象；他们说是要作基督的精兵，却是在为利用他们的某些政客冲锋陷阵。这是多么地可悲。

我希望，我能够时时把“爱人如己”作为自己的为人准则——或许别人的生活方式不同、肤色不同、信仰不同、理念不同；最起码，我不应该有敌意、歧视、偏见。我争战的对象，应该是我自己心中的魔鬼——苦毒、嫉妒、愤怒、偏见。

硅谷日记（99）2020.7.4. 独立日

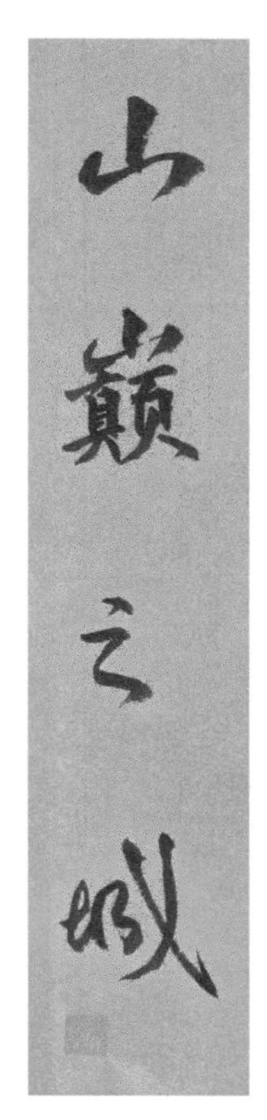

“独立日”四天长周末，去山里放风，在周边乡下骑车，跟着网课做瑜伽。

在庆祝“独立日”的时候，我感恩国父们：他们这一群不完美的人，244年前为我们开创了一个在这个人类历史阶段近乎完美的社会制度，为这个国家打下了坚实的基石，而且可以通过自身的机制不断完善而接近完美。这个制度就是“自治”：以宪法为总纲的法治，保障社会不会出大乱子；分散权力的民主制度，保障社会不会走入极端；尊重个人的平等自由，又给社会提供了创新的土壤和无穷的生机。

创新，远远不止技术的创新；更重要的，是治理模式、商业模式的创新。归根到底，这个社会是新思维不断涌现的沃土；而在这块沃土上耕耘的，是一代代既有自由思想又有责任感的人，包括大量优秀的移民。没有思想的自由和表达的自由，原始创新只能是梦想。

国民以自由思想和自由表达对社会的参与，在民主的制度下，又给这个社会提供了不断实现自身完善的机制。

是的，我们的国家和社会里，还有很多的丑恶。人民的自由表达和和平抗议，会推动社会的公平正义；但真正消除偏见，实现公平，还需要我们每一个人持久的努力。我相信，这个社会一定会变得更为美好，因为这是一个真正的由人民主宰的社会，而人民的主流力量是坚持公平正义、追求美善的。

过去三年多，国家的民主制度受到了极端的挑战，但也让我看到了这个制度的生命力。四个月后的选举，会再次显示这个制度的勃勃生机，因为主宰这个社会的，是人民的声音。

将要到来的，一定是一个充满希望的秋天。

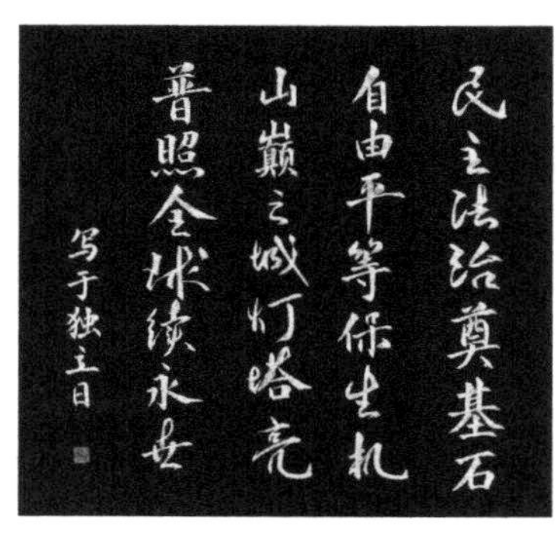

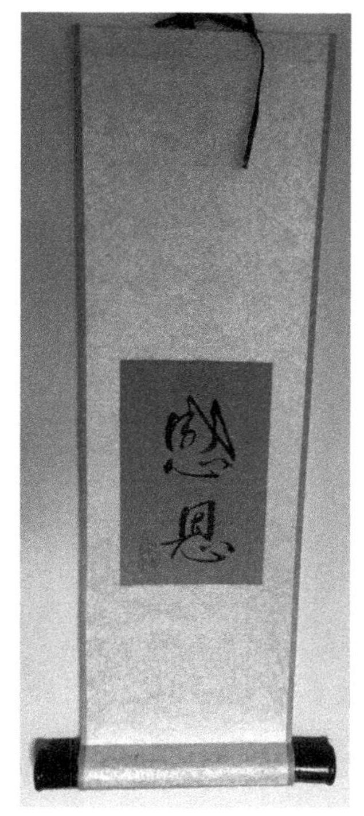

硅谷日记（100）2020.7.13.

今天，我们County在宣布居家隔离118天后，将进入新一个阶段的复工，向着全面复工又迈出了谨慎的一步。

半年前，1月15日，第一个新冠病毒病人在美国出现。

2月6日，全国第一例由新冠病毒引起的死亡出现在我们County；当时死因不明。

2月28日，我最后一次去瑜伽馆。

2月29日，一位没有明确接触史的老年妇女检测阳性，入住了离我们村不到十公里的El Camino医院；这是当时“社区传播community spread”最强烈的征兆。这一天，我写下第一篇“硅谷日记”；我最后一次去理发店。

四个月前，3月15日，我最后一次跟朋友一起打乒乓球。

3月17日，包括我们County在内的湾区六个County（七百万人）在全国率先宣布全民隔离；时间原定为三周。

当时的情景，至今还历历在目。

那时节，后院的枣树枝才刚刚发芽；而今满树都结满了小枣。

今天，当人们似乎对瘟疫的传播已经神经麻木了的时候，全球确诊感染病例到了一千三百多万人，死亡超过五十七万人；全国确诊感染病例三百四十多万人，死亡超过十三万人；加州确诊感染病例三十三万多人，死亡7093人；我们County确诊感染病例6542人，死亡167人；军队官兵被感染一万七千多人。而实际被感染的人数，可能是确诊病例的很多倍。

而在国家最需要领导的时候，我们的总统，在这场瘟疫大战中，误导民众，煽动仇恨，最后也对瘟疫投降了。

经济也受到了几十年来最严重的创伤，全国四千万人失业。在总统煽动的抗议居家隔离的压力下，很多州都不由分说地复了工；总统还在施加压力，要求学校全面在校复课。有些民众迫不及待地去海滩、酒吧、游泳池、公园。戴口罩这么简单的事，因为总统的偏执竟然成了不同党派的争议焦点；世界上还有比这更荒唐的事情吗？

在CDC做出戴口罩的官方建议99天后，总统终于戴上了口罩；这也算是一个里程碑吧——一个代表疯狂和不负责任的里程碑。

不幸的是，在这样的情况下，瘟疫的传播还在继续加重。

使我欣慰的是（如果在这大灾难中，还可以这样说的话），我们这里没有失控；我们County采取了最慎重的措施，走一步看一步，再根据数据决定下一步。我们County今天将要进入下一个阶段的复工，包括餐馆室外营业；像理发店之类的室内业务能否恢复，还不确定。

感恩前线的英雄们，是他们的牺牲给了我们平安。感恩一线的人们，是他们的辛劳使我们可以偷生。感恩无数默默奉献的人们，他们以各种方式，努力减轻这场灾难的伤害。也感谢州和County的领导，顶着各种压力，坚持理性，以民为贵。

几个月在家办公，每天从早到晚Zoom，原来有些事情要飞十几个小时跨越十几个时区去现场的，现在通过视频也可以解决。甚至原来在同一个办公地的同事，现在通过视频互相交流可能比原来在办公室交流的更多，因为现在没有原来无时不在的匆忙和无地不在的急促。可能这就是新常态吧。

而社交距离对人际关系（私人的或同事的）的长期的微妙的影响，将会是新常态中的一大变数。

新常态，还包括对世界的新看法。半年来发生的事情——瘟疫，抗议游行，甩锅，阴谋论等等，使我看到了世上的爱，也看到了冷漠；看到了正义，也看到了邪恶；看到了公平和包容，也看到了歧视和偏见——在大大小小的的范围里，包括世界上的风云人物和朋友圈里的你我。

你已经不再是过去的你，我也不再是过去的我。

或许，我们之间的距离，并不是那两米的物理距离，而是我们的价值观。

新常态，还包括很多老问题。目前社会关注的主要问题，有种族平等问题，税收和福利问题，私人持枪问题，移民问题，就业，环境保护，同性恋，堕胎，等等。这些问题的争议，会长期存在。我个人要做的，是要拒绝极端主义——无论是左还是右；拒绝分裂社会的领导者——无论是打着政治的旗号，还是宗教的旗号。只要坚持中道，拒绝极端；追求包容，防止两极分化，社会就一定会越来越美好。

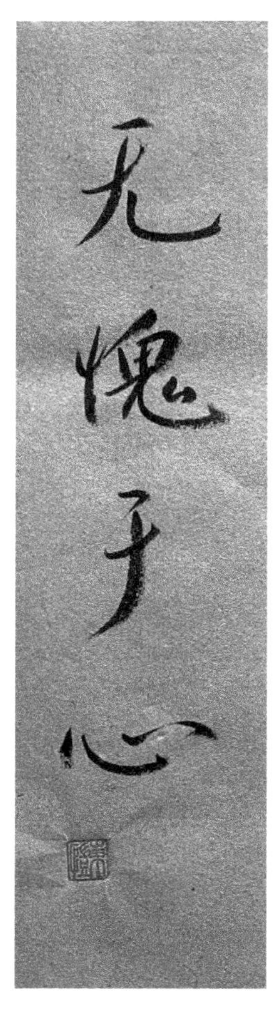

新常态，还包括每天村里散步和车库打球，日常习字练琴；包括日常结绳记事，使我有审视内心的时间；包括周末爬山，骑车，线上瑜伽课；还有更多的观花赏草，整理庭院，听鸟鸣唱，看松鼠起舞。

还包括后院BBQ，因为夏天到了。

Life must go on。希望不久的将来，我还可以去理发，去瑜伽，去跟朋友打球，甚至可以去旅行。

新常态，新生活，新的诗和远方。谁与同行？

后记

今天，是我在美国的第33个独立日Independence Day。

一大早，当我把国旗挂到前院旗杆上的时候，我首先想到的是“自由”。我所理解和庆祝的独立independence，是多维度，全方位的；不仅是国家的独立，更是民主的制度，社会的公平正义，和个人的自由尊严。

这过去的一年，使我对“自由”有了更深层次的理解。

回想起去年第二个月的最后一天，是个星期六。之前的几天，加州戴维斯大学医院收治了加州当时所知的第一个新冠病人。那个周末，我去做了瑜伽，理了发，骑了一圈自行车，和朋友打了乒乓球。我知道，今后的日子，将会很不一样。

我也意识到，在这之后的日子里，我个人和我所处的世界，都将会有不同寻常的经历。2020年2月29日，这一天，我开始结绳记事，用日记记下我的经历，我的感受，我的观察，我的恐惧，和我的希望。

一直到去年的7月13日，在全国率先进入居家隔离的我们County，这一天宣布进入新一个阶段的部分复工；这标志着我们对瘟疫这个看不见的敌人的斗争，取得了初步的胜利。在最严峻的这个期间的100篇日记，记录了在这个特殊的历史阶段我所看到的丑恶，更记载了我看到的大爱；记录了我对社会不平等现象的愤慨，更记下了争取公平正义的人们给我带来的力量；记下了我对受到挑战的民主制度的担忧，更记载了捍卫民主制度的人们给我带来的鼓舞。最重要的，是每一篇日记给我带来的审视自己内心的宝贵机会——特别是在那心神不宁的时候。

现在，经过一年多的斗争，我们正在从瘟疫的禁锢中获得自由——经过隔离，孤独，恐惧和痛苦，我们终于迎来了欢聚，喜乐，信心和希望。

今年，我们还要庆祝民主的胜利——特别是经历了过去几年对民主制度罕见的挑战之后。今天，社会充满了新的气象，族群有机会愈合伤口；我个人也经过极度疑惑的幽谷，对民主制度更加充满信心。

我是一个性格非常内向的人，也就更加珍视这个特殊阶段的内心历程，也特别珍重在这段特殊经历中与我同行的人，而且愿意与同行的伙伴们共同记住这终生难忘的经历。

因为我希望，我们每一个人——无论你在世界的哪个角落，都永远不会忘记人类为这场灾难所付出的沉重代价；都会用最大的力气，要求所有的人——尤其是那些执政当权者，以最大的力量避免类似悲剧的重演。

因为我希望，我们每一个人——无论你生活在哪个州，支持哪个党派，都清晰地记住：民主制度的健康运行，需要我们每一个人的积极参与，因为总还是会有人试图把你的民主权利夺走。

今天这个时候，虽然我们还没有取得对瘟疫的最后胜利，我们的民主制度还没有达到所能达到的美好，我们的社会还有很多的丑恶；而当我今天晚上，仰望不远处上空升腾的节日焰火的时候，我知道：明天，会更美好——因为我们在一起。

2021.7.4. 独立日 于美国加州硅谷

硅谷日记

CPSIA information can be obtained
at www.ICGtesting.com
Printed in the USA
BVHW050932061221
623327BV00019B/863

9 781949 736342